儿童剪纸大全

主编：飞宇

基础篇

吉林摄影出版社

巧宝贝快乐手工全书·儿童剪纸大全（基础篇）

主　　编：飞宇

出版发行：吉林摄影出版社

社　　址：长春市人民大街 4646 号

邮政编码：130021

经　　销：全国新华书店

责任编辑：江红

装帧设计：刘亮

印　　刷：孝感市三环印务公司

开　　本：850mm×1168mm　1/32

印　　张：36

版　　次：2013 年 4 月第 1 版

印　　次：2013 年 4 月第 1 次印刷

书　　号：ISBN 978 – 7 – 80606 – 595 – 4/G · I99

定　　价：94.80 元/套（全套共 6 册）

前言

    手工制作和绘画可以锻炼儿童的观察能力和动手能力,提高综合智力。根据儿童在不同年龄识别和动手能力的特点,结合手工的难易,我们制作编排了这套《儿童手工美术全书》。全套书分为《儿童折纸大全——基础篇》《儿童折纸大全——提高篇》《儿童剪纸大全——基础篇》《儿童剪纸大全——提高篇》《儿童简笔画大全》《儿童彩泥手工大全》。

    这套书精选了文具、玩具、电器、日常用品、水果、蔬菜、食品、人物、动植物等几百个示范造型,《儿童折纸大全——基础篇》《儿童折纸大全——提高篇》《儿童剪纸大全——基础篇》《儿童剪纸大全——提高篇》利用通俗易学的制作方法,将这些示范造型用新颖有趣的形式展示给儿童,通过手工制作步骤提示,掌握折、叠、压、粘、套的技巧。让儿童在动手的过程中,培养观察力、审美能力和创造力,提高儿童的脑、手、眼的协调性与手的精细动作;《儿童彩泥手工大全》将这些示范造型用逼真的照片,将捏泥过程分步骤讲解、展示出来,并用鲜明的色调来刺激儿童对色彩的感受力,力求让儿童"捏"出自己的最爱;《儿童简笔画大全》为满足儿童掌握绘画入门方法的需要,提供了更好的学习、临摹、绘画制作,进一步培养儿童的观察概括能力和手脑协调能力。

    "让学习成为游戏,在游戏中学习"是本书的宗旨所在,相信这套书一定会给小朋友这种感觉,也希望小朋友在看完这本书后,能充分展开想象的翅膀,发挥创造力,大胆创作出自己的作品,成为一名心灵手巧的好孩子!

目 录

拖拉机

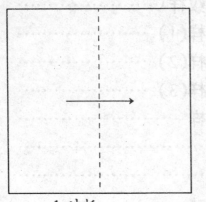

1.对折。

2.画。

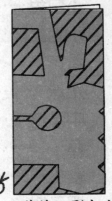

3.剪掉阴影部分。

4.剪完效果。

5.展开最终效果。

卡 车

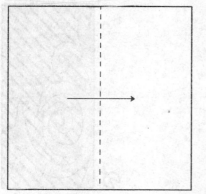

1.对折。

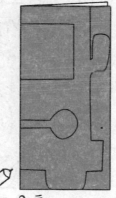

2.画。

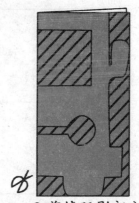

3.剪掉阴影部分。

4.剪完效果。

5.展开最终效果。

花案（1）

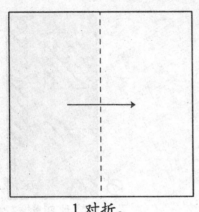

1.对折。

2.画。

3.剪掉阴影部分。

4.剪完效果。

5.展开最终效果。

花案（2）

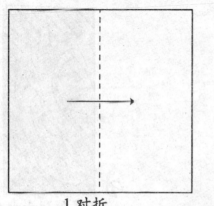

1.对折。

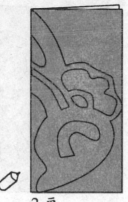

2.画。

3.剪掉阴影部分。

4.剪完效果。

5.展开最终效果。

花案（3）

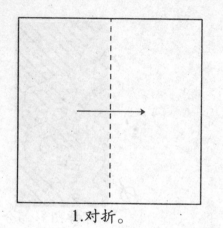

1.对折。

2.画。

3.剪掉阴影部分。

4.剪完效果。

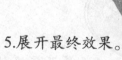

5.展开最终效果。

花案（4）

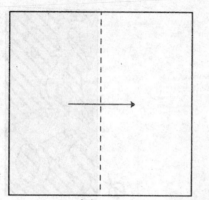

1.对折。

2.画。

3.剪掉阴影部分。

4.剪完效果。

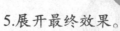

5.展开最终效果。

花案（5）

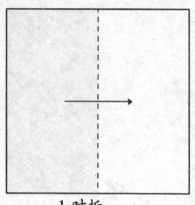

1.对折。

2.画。

3.剪掉阴影部分。

4.剪完效果。

5.展开最终效果。

花案（6）

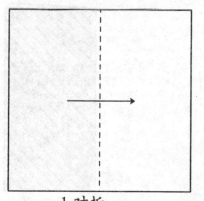

1.对折。

2.画。

3.剪掉阴影部分。

4.剪完效果。

5.展开最终效果。

花案（7）

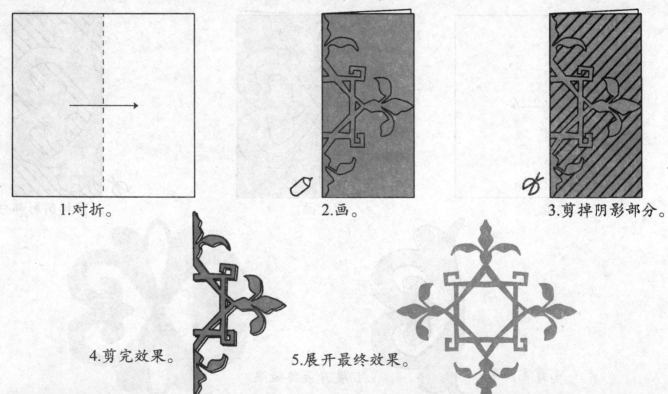

1.对折。

2.画。

3.剪掉阴影部分。

4.剪完效果。

5.展开最终效果。

花案（8）

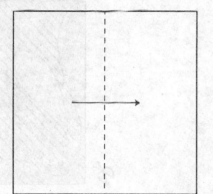

1.对折。

2.画。

3.剪掉阴影部分。

4.剪完效果。

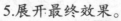

5.展开最终效果。

花案(9)

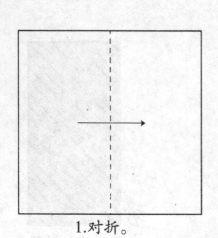

1.对折。

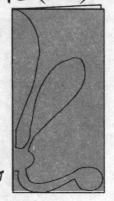

2.画。

3.剪掉阴影部分。

4.剪完效果。

5.展开最终效果。

花案（10）

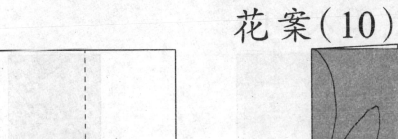

1.对折。

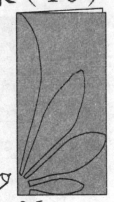

2.画。

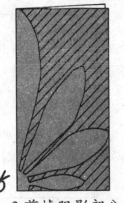

3.剪掉阴影部分。

4.剪完效果。

5.展开最终效果。

玩具人（1）

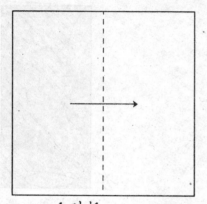

1.对折。

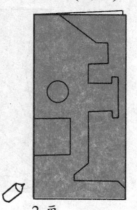

2.画。

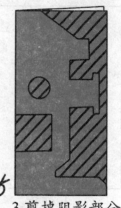

3.剪掉阴影部分。

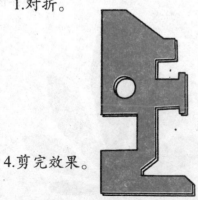

4.剪完效果。

5.展开最终效果。

玩具人(2)

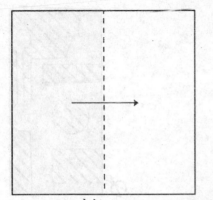

1.对折。

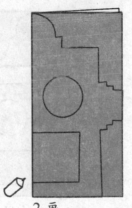

2.画。

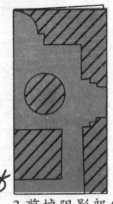

3.剪掉阴影部分。

4.剪完效果。

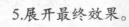

5.展开最终效果。

玩具人（3）

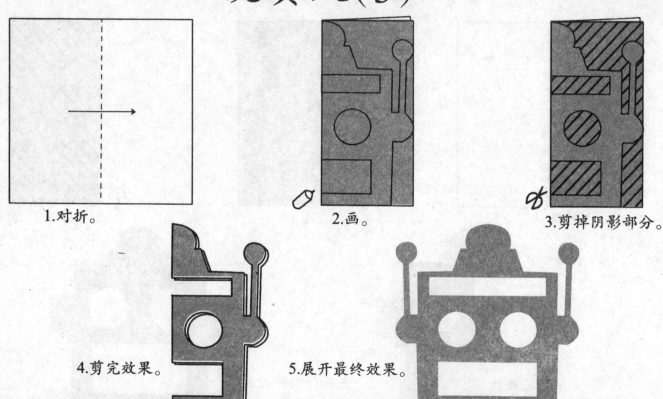

1.对折。

2.画。

3.剪掉阴影部分。

4.剪完效果。

5.展开最终效果。

玩具人(4)

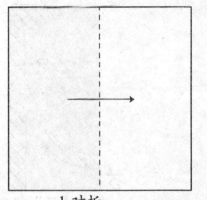

1.对折。

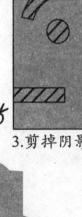

2.画。

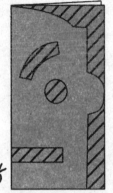

3.剪掉阴影部分。

4.剪完效果。

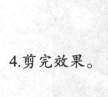

5.展开最终效果。

玩具人（5）

1.对折。

2.画。

3.剪掉阴影部分。

4.剪完效果。

5.展开最终效果。

玩具人(6)

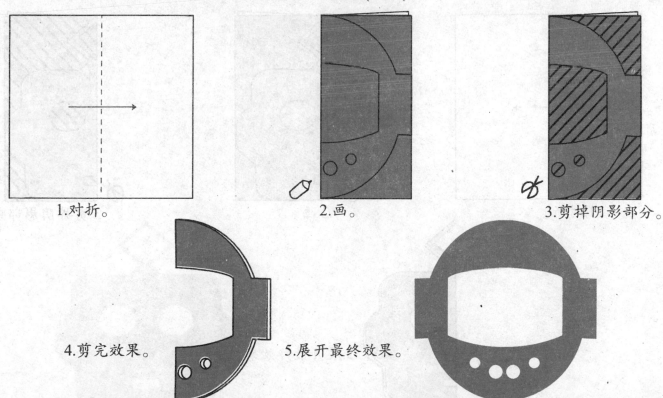

1.对折。

2.画。

3.剪掉阴影部分。

4.剪完效果。

5.展开最终效果。

玩具人(7)

1.对折。

2.画。

3.剪掉阴影部分。

4.剪完效果。

5.展开最终效果。

玩具人（8）

1.对折。

2.画。

3.剪掉阴影部分。

4.剪完效果。

5.展开最终效果。

玩具人（9）

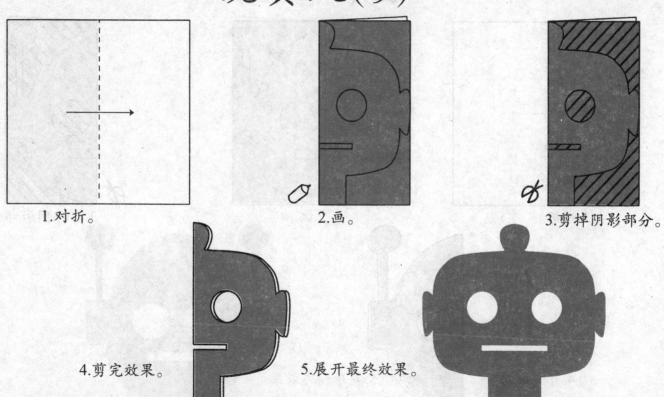

1.对折。

2.画。

3.剪掉阴影部分。

4.剪完效果。

5.展开最终效果。

玩具人（10）

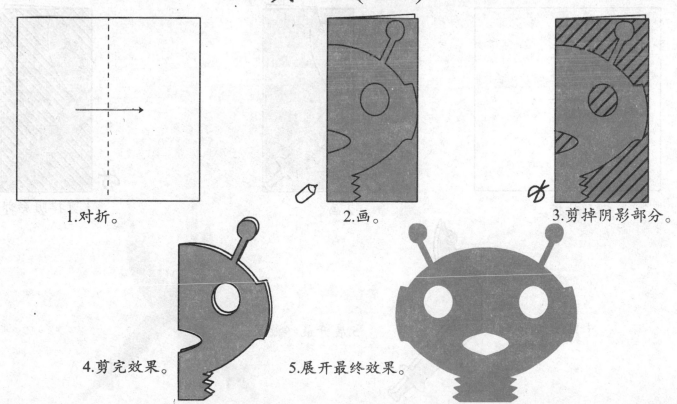

1.对折。

2.画。

3.剪掉阴影部分。

4.剪完效果。

5.展开最终效果。

宝刀

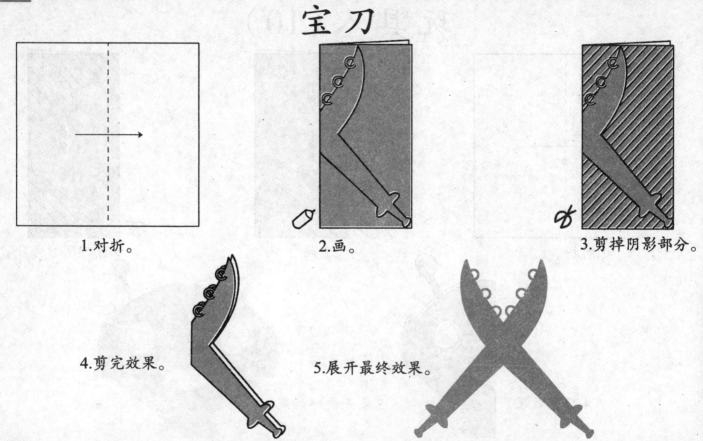

1.对折。

2.画。

3.剪掉阴影部分。

4.剪完效果。

5.展开最终效果。

宝剑

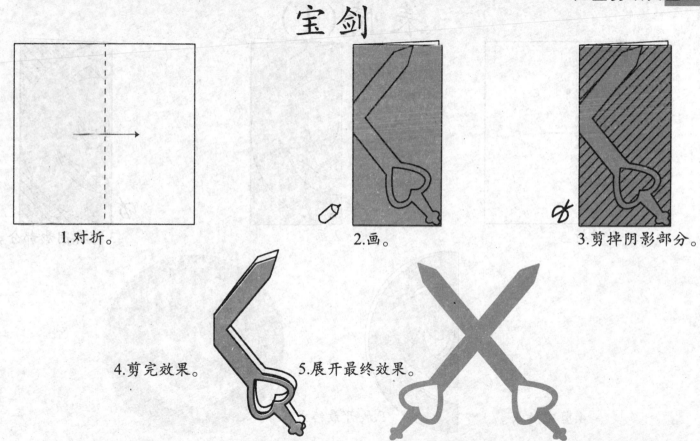

1.对折。

2.画。

3.剪掉阴影部分。

4.剪完效果。

5.展开最终效果。

表情（1）

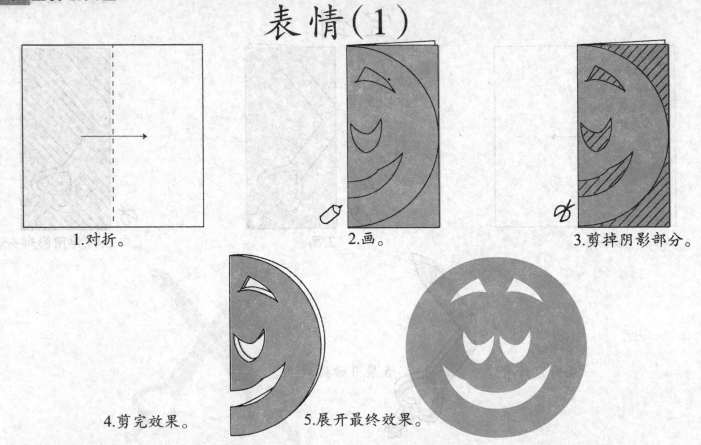

1.对折。

2.画。

3.剪掉阴影部分。

4.剪完效果。

5.展开最终效果。

表情(2)

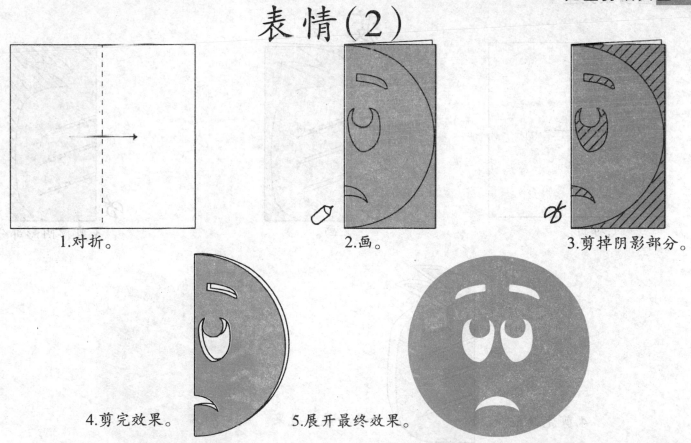

1.对折。

2.画。

3.剪掉阴影部分。

4.剪完效果。

5.展开最终效果。

菠 萝

1.对折。

2.画。

3.剪掉阴影部分。

4.剪完效果。

5.展开最终效果。

草莓

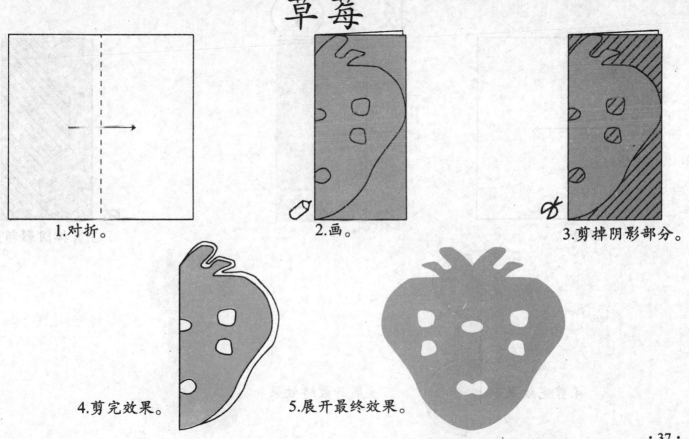

1.对折。

2.画。

3.剪掉阴影部分。

4.剪完效果。

5.展开最终效果。

扳手（1）

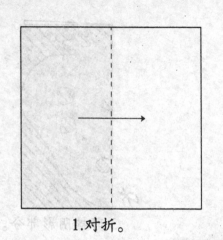

1.对折。

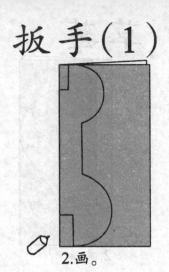

2.画。

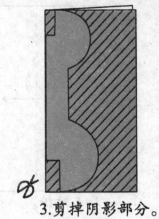

3.剪掉阴影部分。

4.剪完效果。

5.展开最终效果。

扳手(2)

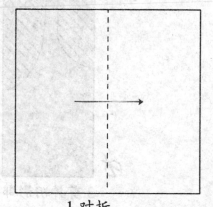

1.对折。

2.画。

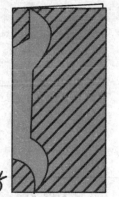

3.剪掉阴影部分。

4.剪完效果。

5.展开最终效果。

背 心

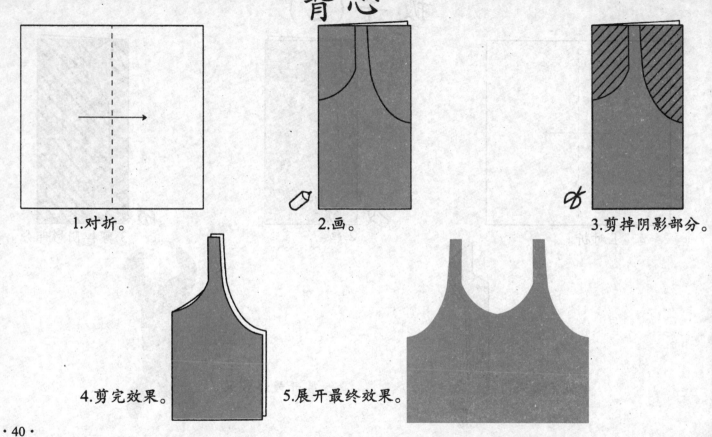

1.对折。

2.画。

3.剪掉阴影部分。

4.剪完效果。

5.展开最终效果。

短袖

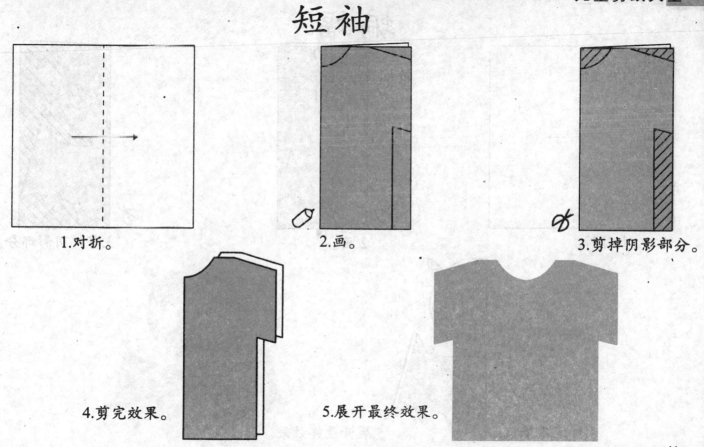

1.对折。

2.画。

3.剪掉阴影部分。

4.剪完效果。

5.展开最终效果。

蝙 蝠

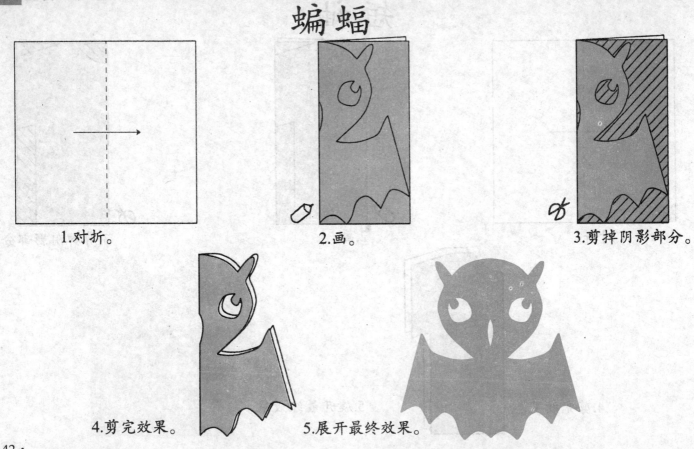

1.对折。

2.画。

3.剪掉阴影部分。

4.剪完效果。

5.展开最终效果。

翅膀

1.对折。

2.画。

3.剪掉阴影部分。

4.剪完效果。

5.展开最终效果。

环形标识

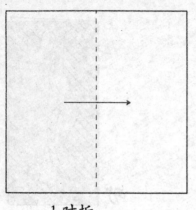

1.对折。

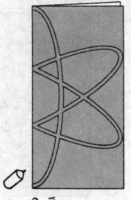

2.画。

3.剪掉阴影部分。

4.剪完效果。

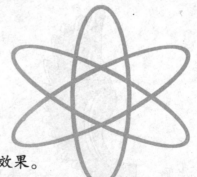

5.展开最终效果。

花形标识

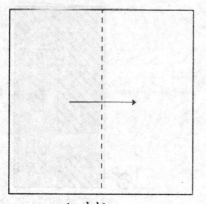

1.对折。

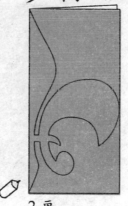

2.画。

3.剪掉阴影部分。

4.剪完效果。

5.展开最终效果。

城楼（1）

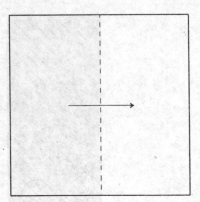

1.对折。

2.画。

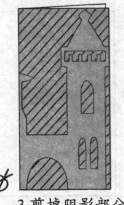

3.剪掉阴影部分。

4.剪完效果。

5.展开最终效果。

城楼(2)

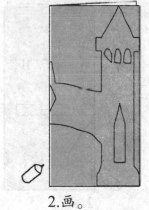

1.对折。

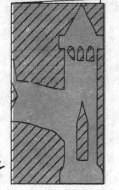

2.画。

3.剪掉阴影部分。

4.剪完效果。

5.展开最终效果。

城楼（3）

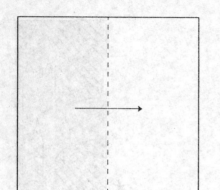

1.对折。

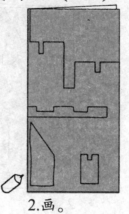

2.画。

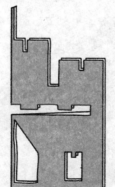

3.剪掉阴影部分。

4.剪完效果。

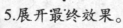

5.展开最终效果。

宫 殿（1）

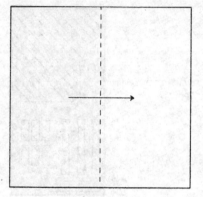

1.对折。

2.画。

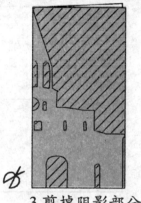

3.剪掉阴影部分。

4.剪完效果。

5.展开最终效果。

宫 殿（2）

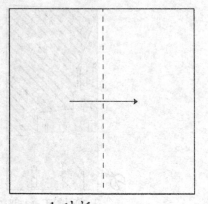

1.对折。

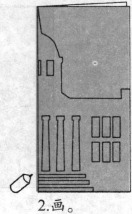

2.画。

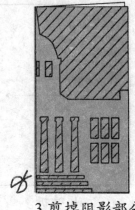

3.剪掉阴影部分。

4.剪完效果。

5.展开最终效果。

宫 殿（3）

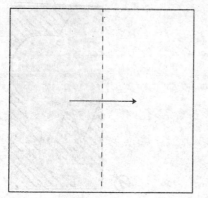

1.对折。

2.画。

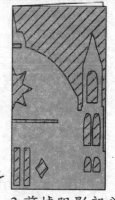

3.剪掉阴影部分。

4.剪完效果。

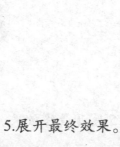

5.展开最终效果。

大白菜

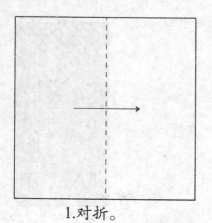

1.对折。

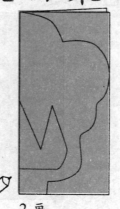

2.画。

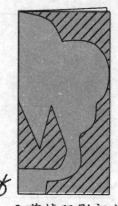

3.剪掉阴影部分。

4.剪完效果。

5.展开最终效果。

大头萝卜

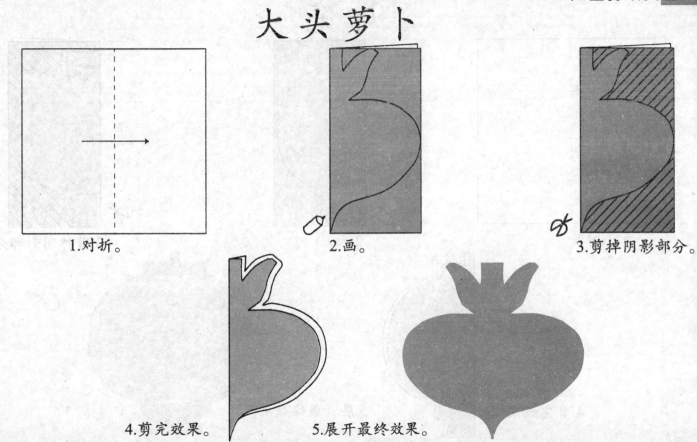

1.对折。

2.画。

3.剪掉阴影部分。

4.剪完效果。

5.展开最终效果。

灯 笼

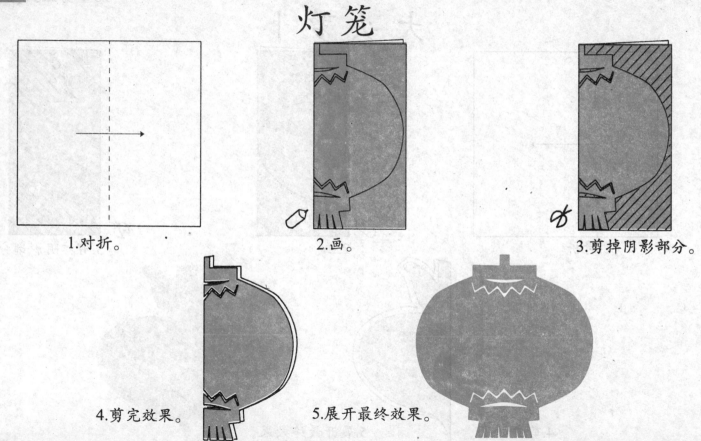

1.对折。

2.画。

3.剪掉阴影部分。

4.剪完效果。

5.展开最终效果。

电话

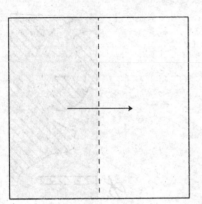

1.对折。

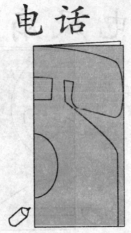

2.画。

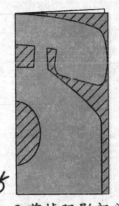

3.剪掉阴影部分。

4.剪完效果。

5.展开最终效果。

电风扇

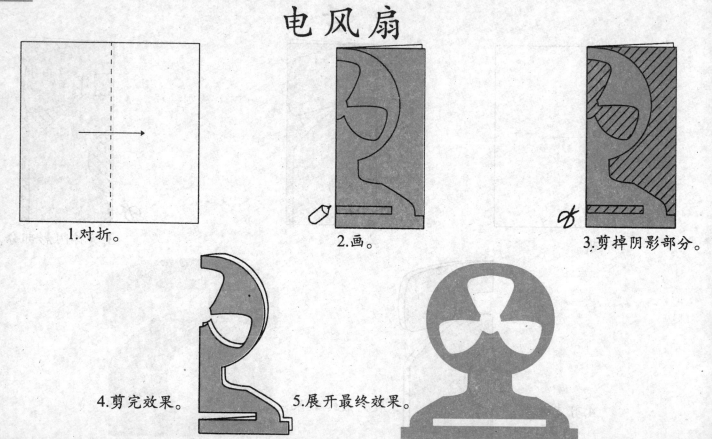

1.对折。

2.画。

3.剪掉阴影部分。

4.剪完效果。

5.展开最终效果。

飞机

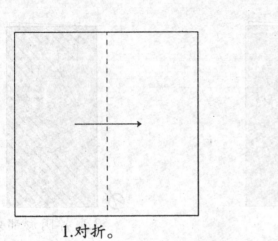

1.对折。

2.画。

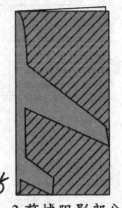

3.剪掉阴影部分。

4.剪完效果。

5.展开最终效果。

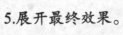

枫叶

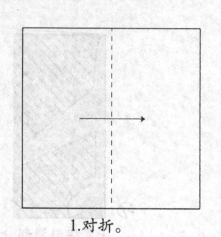

1.对折。

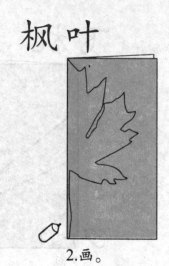

2.画。

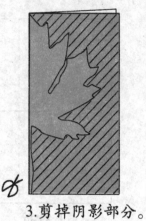

3.剪掉阴影部分。

4.剪完效果。

5.展开最终效果。

鸽子

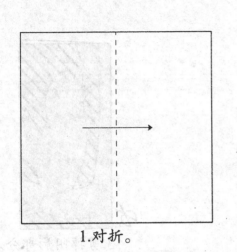

1.对折。

2.画。

3.剪掉阴影部分。

4.剪完效果。

5.展开最终效果。

小鸟(1)

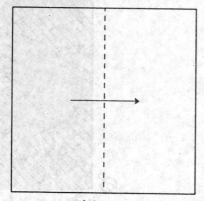

1.对折。

2.画。

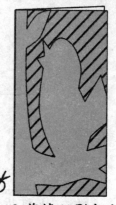

3.剪掉阴影部分。

4.剪完效果。

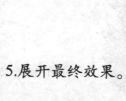

5.展开最终效果。

小鸟(2)

1.对折。

2.画。

3.剪掉阴影部分。

4.剪完效果。

5.展开最终效果。

蜜蜂

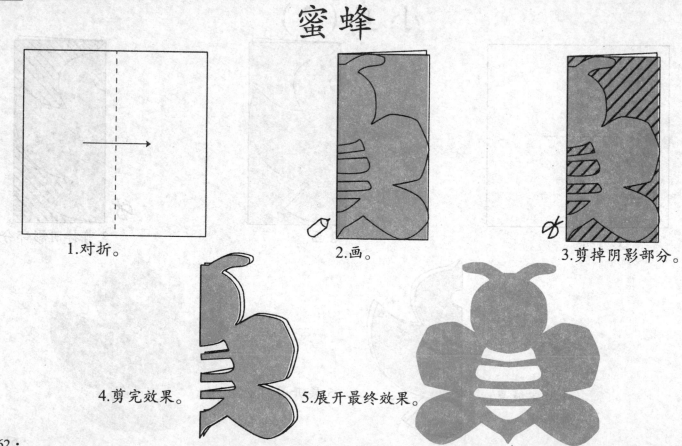

1.对折。

2.画。

3.剪掉阴影部分。

4.剪完效果。

5.展开最终效果。

钟

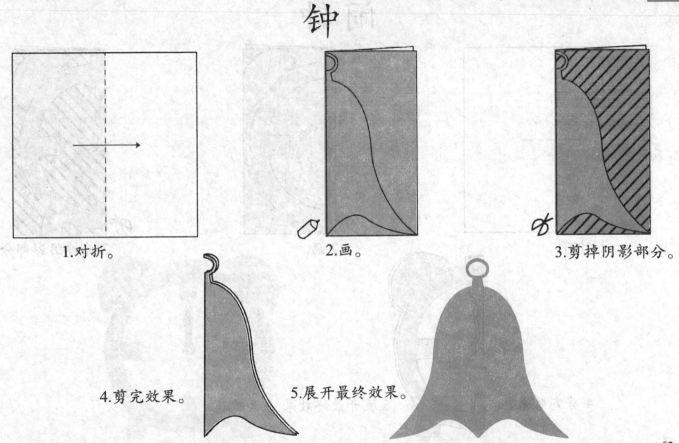

1.对折。

2.画。

3.剪掉阴影部分。

4.剪完效果。

5.展开最终效果。

闹钟

1.对折。

2.画。

3.剪掉阴影部分。

4.剪完效果。

5.展开最终效果。

蝴蝶结(1)

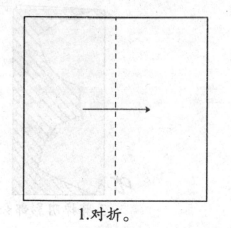

1.对折。

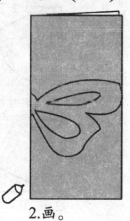

2.画。

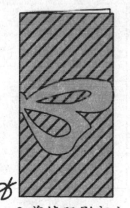

3.剪掉阴影部分。

4.剪完效果。

5.展开最终效果。

蝴 蝶 结（2）

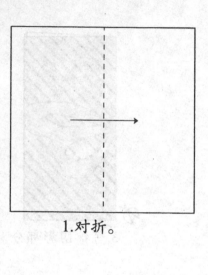

1.对折。

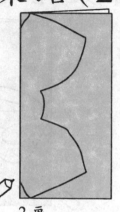

2.画。

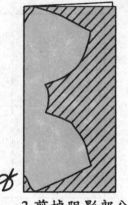

3.剪掉阴影部分。

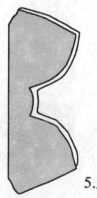

4.剪完效果。

5.展开最终效果。

蝴蝶结（3）

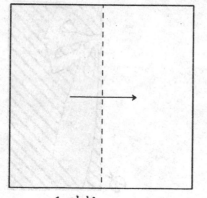

1.对折。

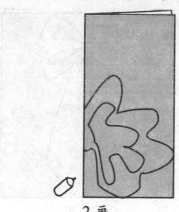

2.画。

3.剪掉阴影部分。

4.剪完效果。

5.展开最终效果。

蝴 蝶 结（4）

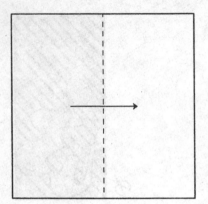

1.对折。

2.画。

3.剪掉阴影部分。

4.剪完效果。

5.展开最终效果。

飞机(1)

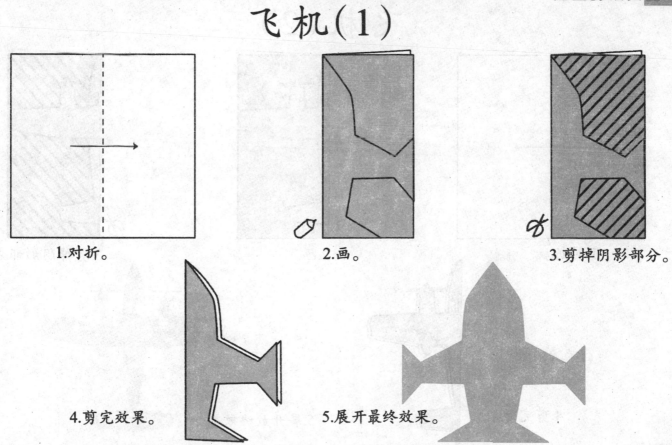

1.对折。

2.画。

3.剪掉阴影部分。

4.剪完效果。

5.展开最终效果。

飞机（2）

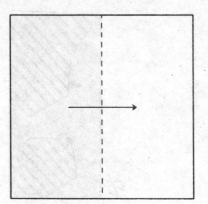

1.对折。

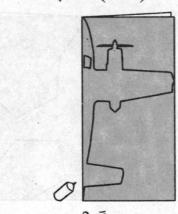

2.画。

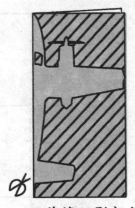

3.剪掉阴影部分。

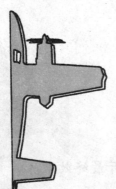

4.剪完效果。

5.展开最终效果。

火箭

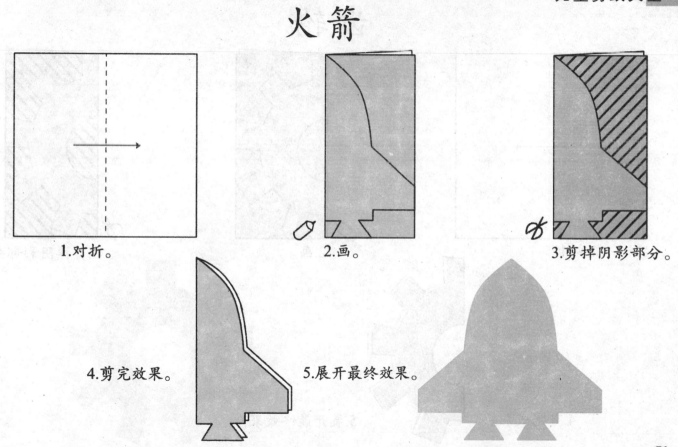

1.对折。

2.画。

3.剪掉阴影部分。

4.剪完效果。

5.展开最终效果。

齿轮

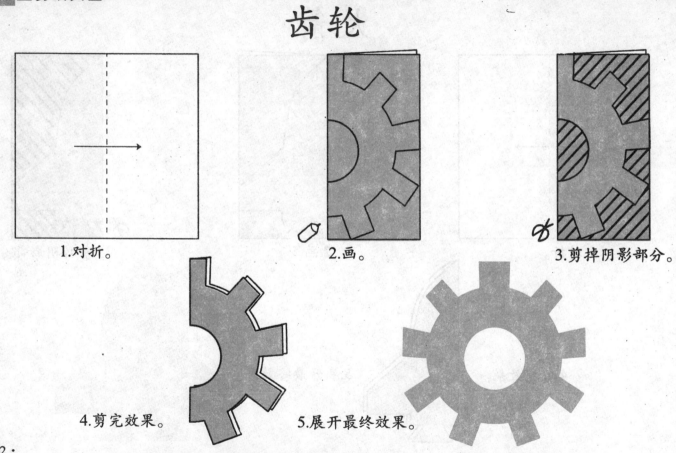

1.对折。

2.画。

3.剪掉阴影部分。

4.剪完效果。

5.展开最终效果。

七星瓢虫

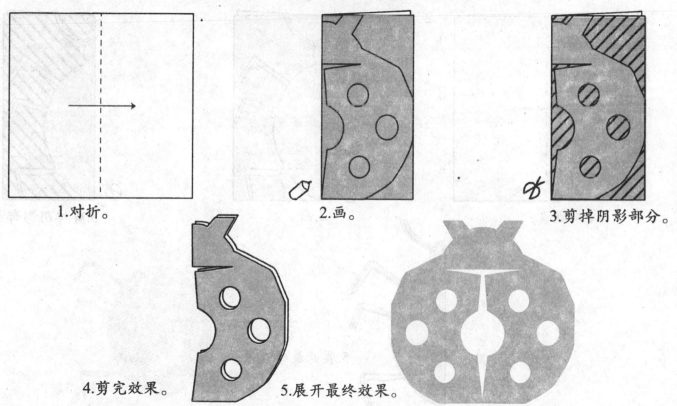

1.对折。

2.画。

3.剪掉阴影部分。

4.剪完效果。

5.展开最终效果。

虫子

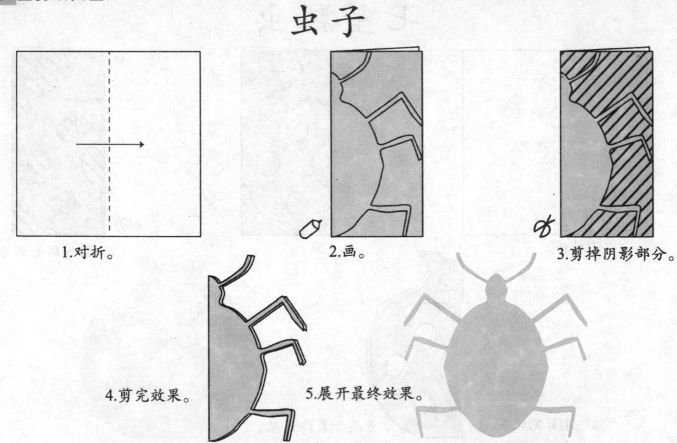

1.对折。

2.画。

3.剪掉阴影部分。

4.剪完效果。

5.展开最终效果。

蝴蝶（1）

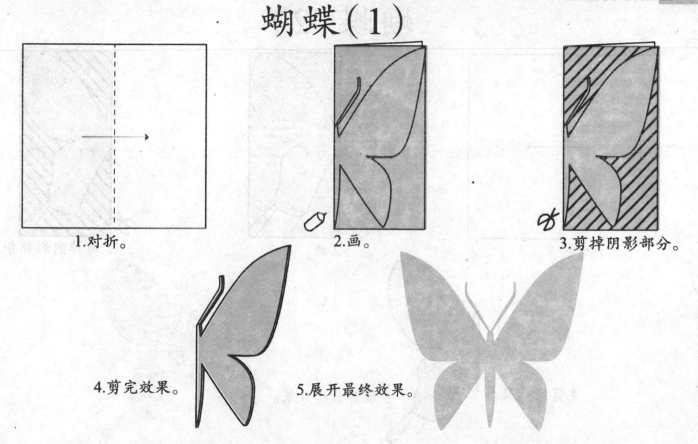

1.对折。

2.画。

3.剪掉阴影部分。

4.剪完效果。

5.展开最终效果。

蝴蝶（2）

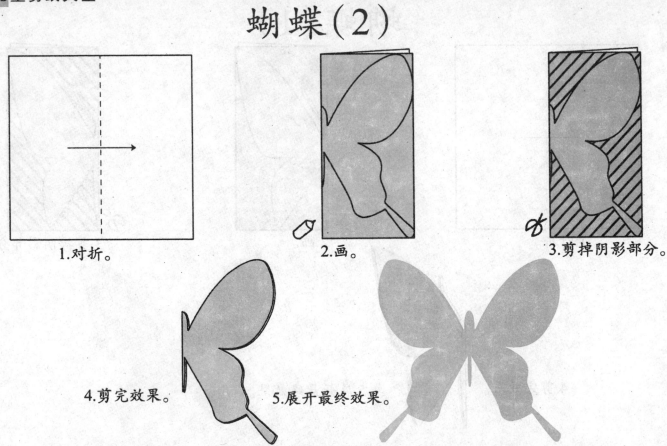

1.对折。

2.画。

3.剪掉阴影部分。

4.剪完效果。

5.展开最终效果。

爸爸

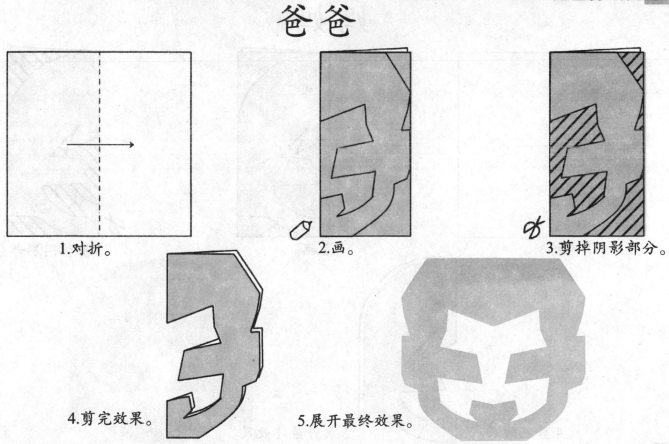

1.对折。

2.画。

3.剪掉阴影部分。

4.剪完效果。

5.展开最终效果。

妈 妈

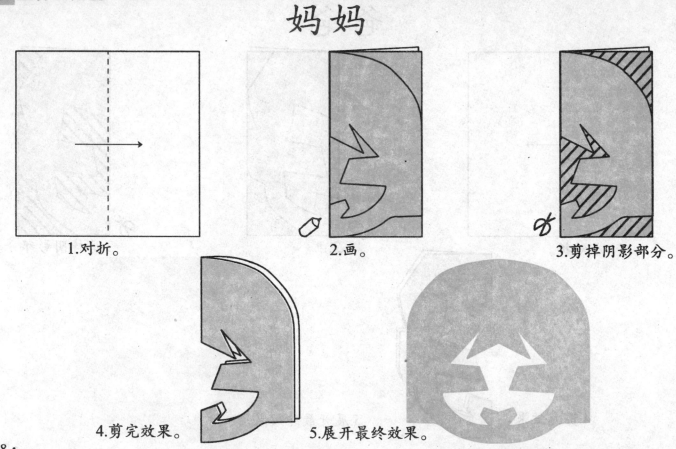

1.对折。

2.画。

3.剪掉阴影部分。

4.剪完效果。

5.展开最终效果。

T恤

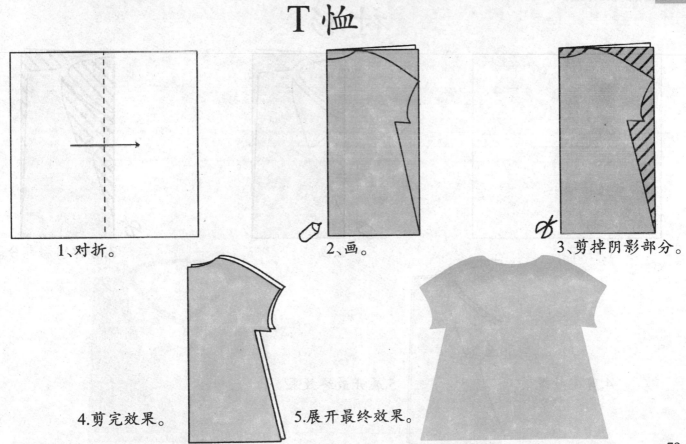

1、对折。

2、画。

3、剪掉阴影部分。

4.剪完效果。

5.展开最终效果。

衬衫

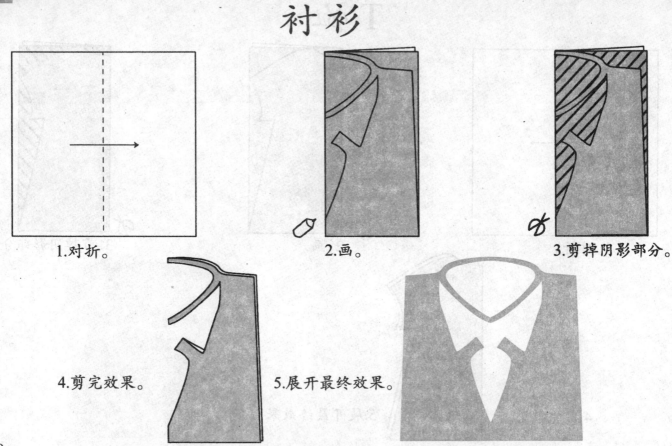

1.对折。

2.画。

3.剪掉阴影部分。

4.剪完效果。

5.展开最终效果。

花（1）

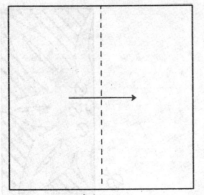

1.对折。

2.画。

3.剪掉阴影部分。

4.剪完效果。

5.展开最终效果。

花（2）

1.对折。

2.画。

3.剪掉阴影部分。

4.剪完效果。

5.展开最终效果。

花（3）

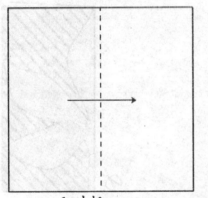

1.对折。

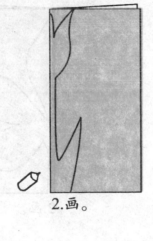

2.画。

3.剪掉阴影部分。

4.剪完效果。

5.展开最终效果。

叶子

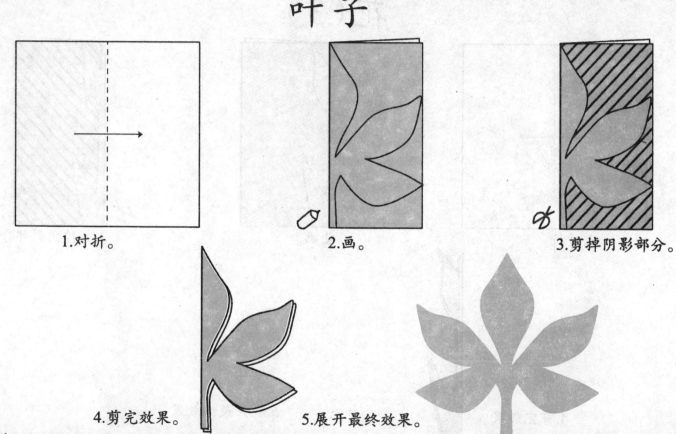

1.对折。

2.画。

3.剪掉阴影部分。

4.剪完效果。

5.展开最终效果。

热气球

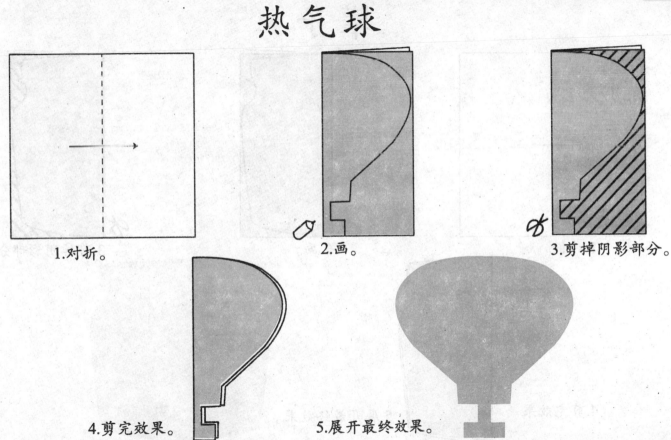

1.对折。

2.画。

3.剪掉阴影部分。

4.剪完效果。

5.展开最终效果。

罐子

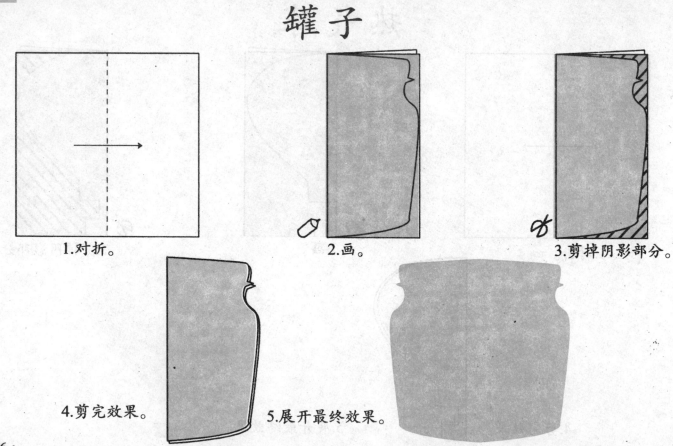

1.对折。

2.画。

3.剪掉阴影部分。

4.剪完效果。

5.展开最终效果。

香字

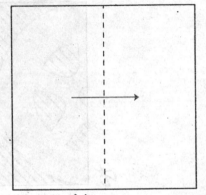

1.对折。

2.画。

3.剪掉阴影部分。

4.剪完效果。

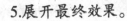

5.展开最终效果。

车 轮

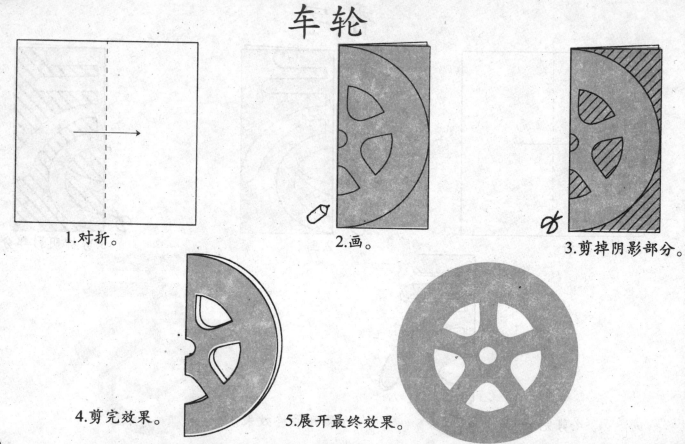

1.对折。

2.画。

3.剪掉阴影部分。

4.剪完效果。

5.展开最终效果。

螺丝刀

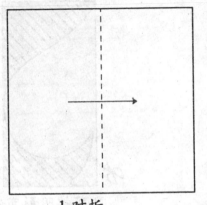

1.对折。

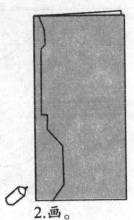

2.画。

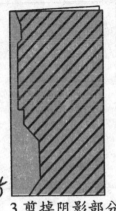

3.剪掉阴影部分。

4.剪完效果。

5.展开最终效果。

黑桃

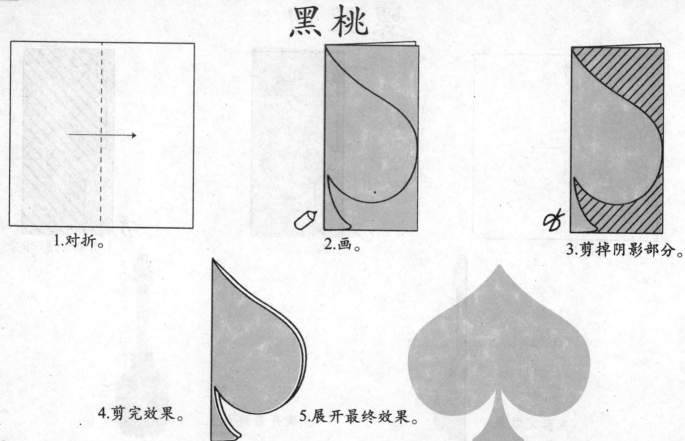

1.对折。

2.画。

3.剪掉阴影部分。

4.剪完效果。

5.展开最终效果。

红 心

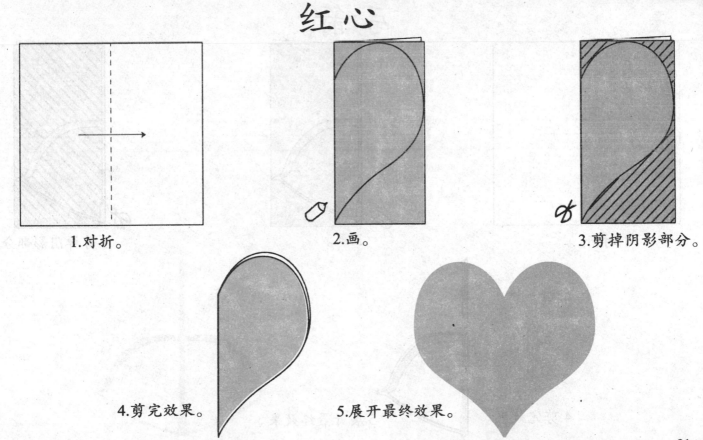

1.对折。

2.画。

3.剪掉阴影部分。

4.剪完效果。

5.展开最终效果。

弓 箭

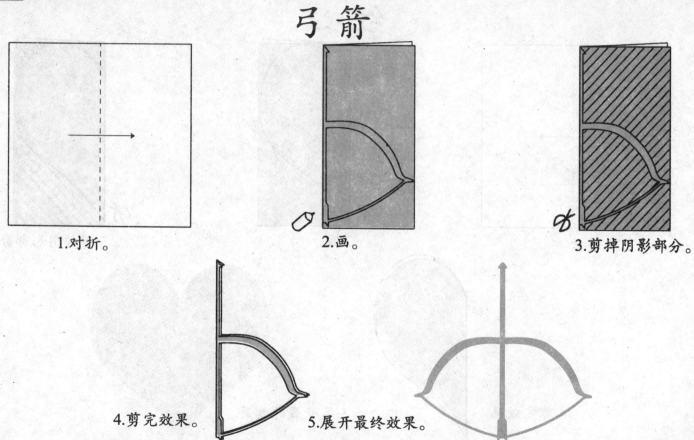

1.对折。

2.画。

3.剪掉阴影部分。

4.剪完效果。

5.展开最终效果。

猴 头

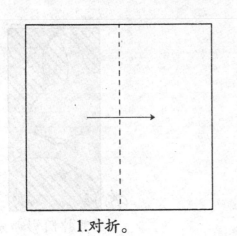

1.对折。

2.画。

3.剪掉阴影部分。

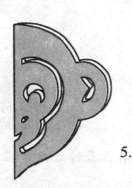

4.剪完效果。

5.展开最终效果。

狐狸

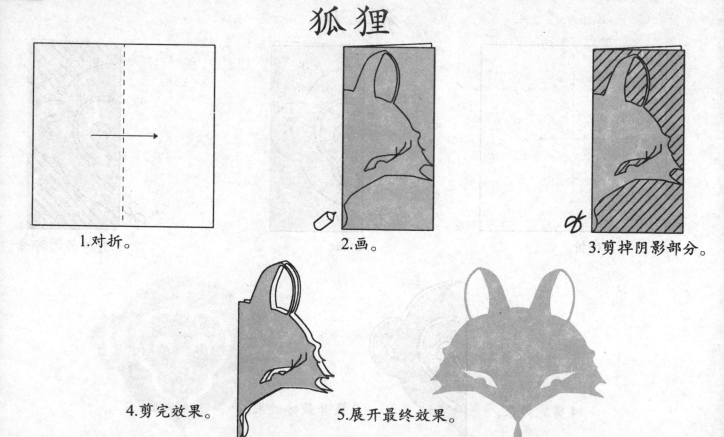

1.对折。

2.画。

3.剪掉阴影部分。

4.剪完效果。

5.展开最终效果。

窗花（1）

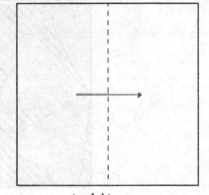

1.对折。

2.画。

3.剪掉阴影部分。

4.剪完效果。

5.展开最终效果。

窗 花（2）

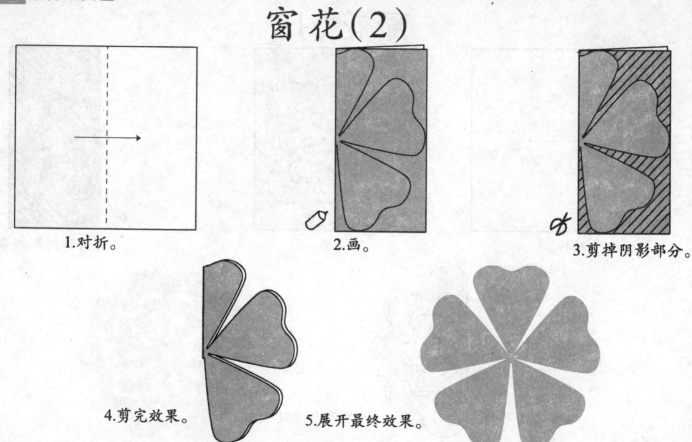

1.对折。

2.画。

3.剪掉阴影部分。

4.剪完效果。

5.展开最终效果。

窗花(3)

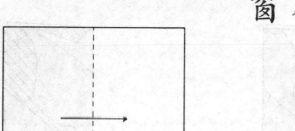

1.对折。

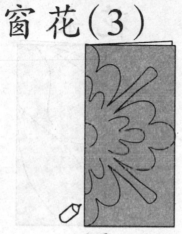

2.画。

3.剪掉阴影部分。

4.剪完效果。

5.展开最终效果。

花朵

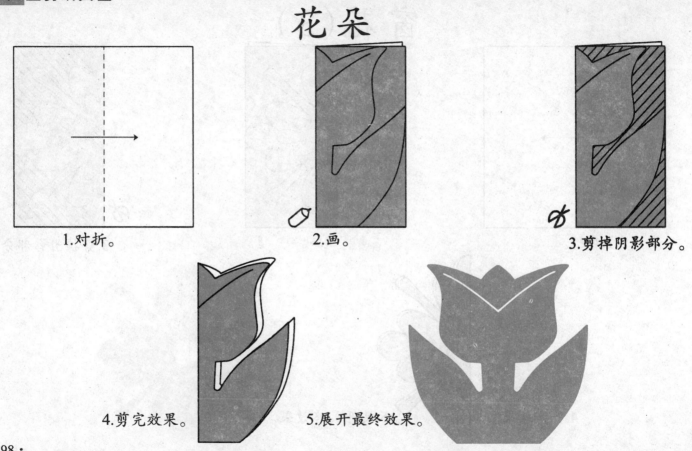

1.对折。

2.画。

3.剪掉阴影部分。

4.剪完效果。

5.展开最终效果。

花瓶

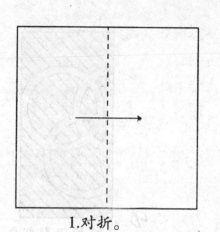

1.对折。

2.画。

3.剪掉阴影部分。

4.剪完效果。

5.展开最终效果。

五环

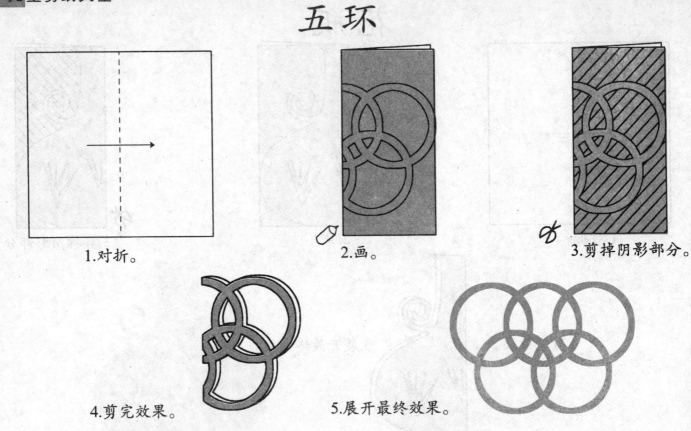

1.对折。

2.画。

3.剪掉阴影部分。

4.剪完效果。

5.展开最终效果。

火焰（1）

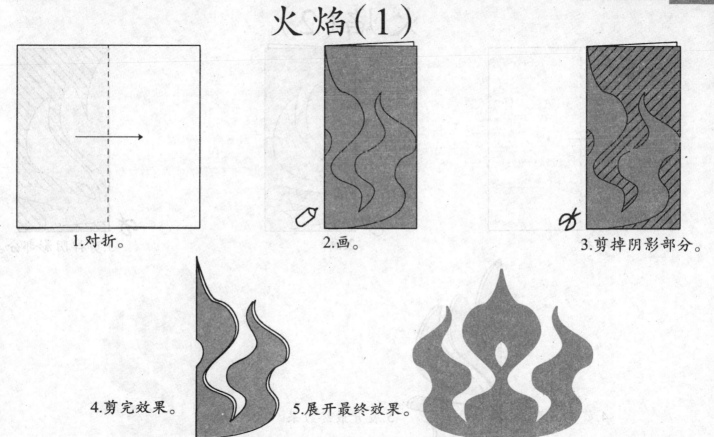

1.对折。

2.画。

3.剪掉阴影部分。

4.剪完效果。

5.展开最终效果。

火 焰（2）

1.对折。

2.画。

3.剪掉阴影部分。

4.剪完效果。

5.展开最终效果。

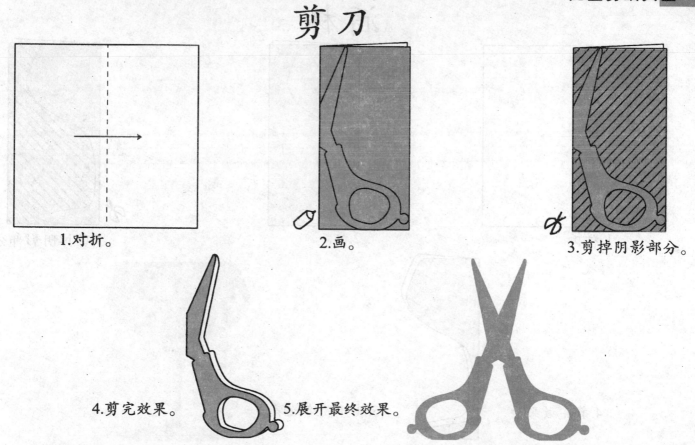

剪刀

1.对折。

2.画。

3.剪掉阴影部分。

4.剪完效果。

5.展开最终效果。

酒杯

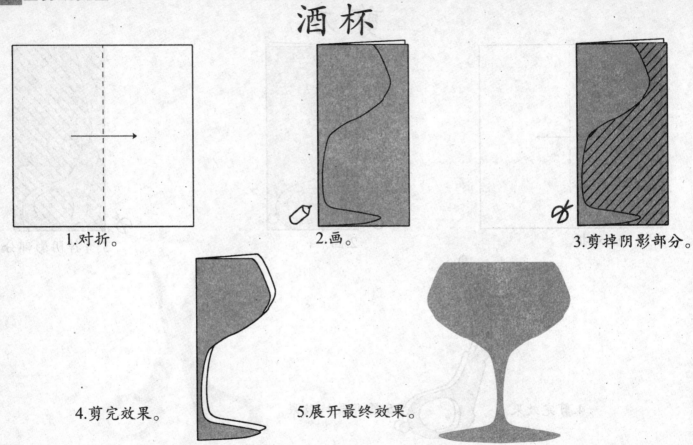

1.对折。

2.画。

3.剪掉阴影部分。

4.剪完效果。

5.展开最终效果。

辣椒

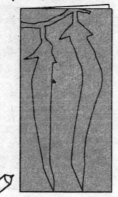

1.对折。

2.画。

3.剪掉阴影部分。

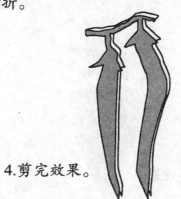

4.剪完效果。

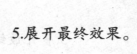

5.展开最终效果。

萝卜

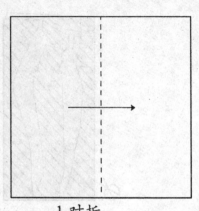

1.对折。

2.画。

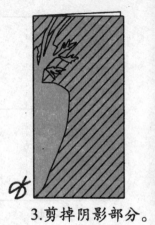

3.剪掉阴影部分。

4.剪完效果。

5.展开最终效果。

小 鸡

1.对折。

2.画。

3.剪掉阴影部分。

4.剪完效果。

5.展开最终效果。

小 鸭

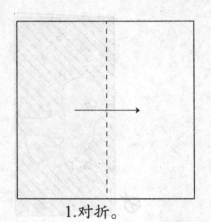

1.对折。

2.画。

3.剪掉阴影部分。

4.剪完效果。

5.展开最终效果。

老虎

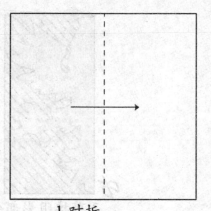

1.对折。

2.画。

3.剪掉阴影部分。

4.剪完效果。

5.展开最终效果。

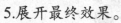

老鹰

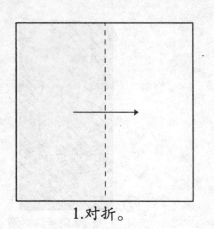

1.对折。

2.画。

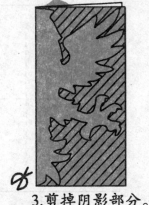

3.剪掉阴影部分。

4.剪完效果。

5.展开最终效果。

亭子

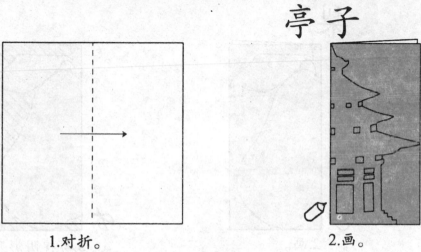

1.对折。

2.画。

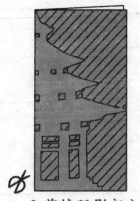

3.剪掉阴影部分。

4.剪完效果。 5.展开最终效果。

梨

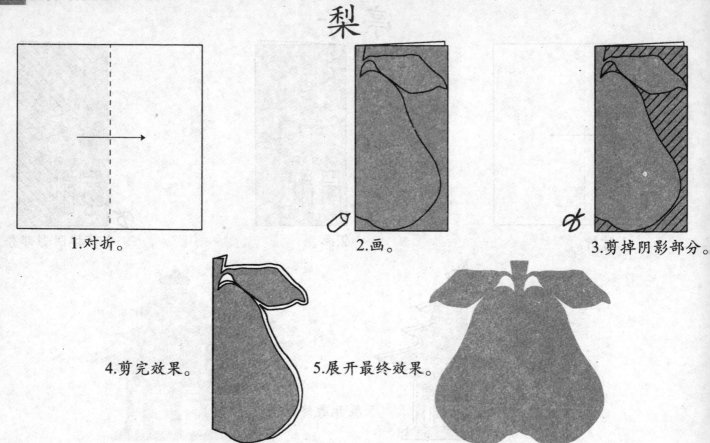

1.对折。

2.画。

3.剪掉阴影部分。

4.剪完效果。

5.展开最终效果。

领带

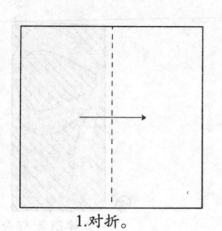

1.对折。

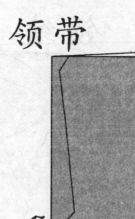

2.画。

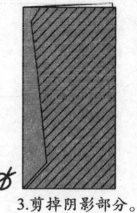

3.剪掉阴影部分。

4.剪完效果。

5.展开最终效果。

领 结

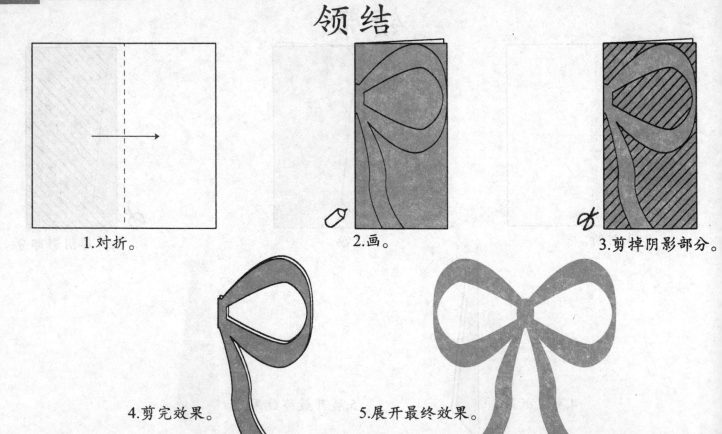

1.对折。

2.画。

3.剪掉阴影部分。

4.剪完效果。

5.展开最终效果。

六角形

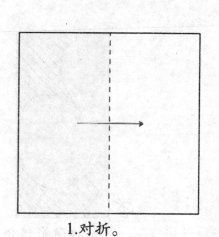

1.对折。

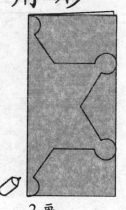

2.画。

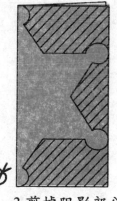

3.剪掉阴影部分。

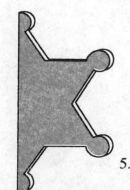

4.剪完效果。

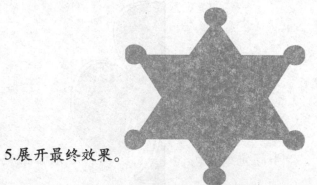

5.展开最终效果。

梅花

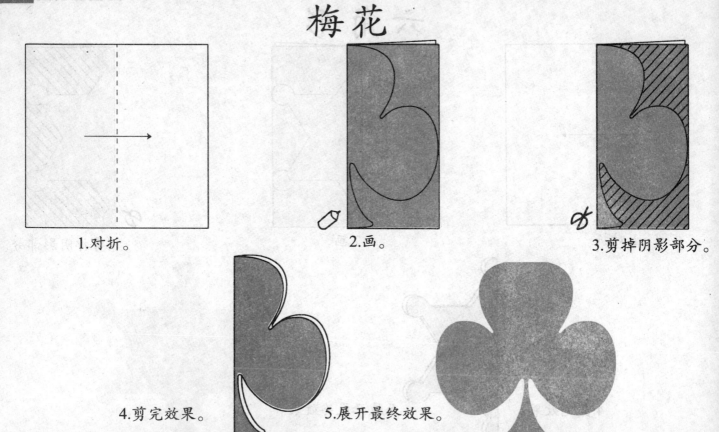

1.对折。

2.画。

3.剪掉阴影部分。

4.剪完效果。

5.展开最终效果。

蘑 菇

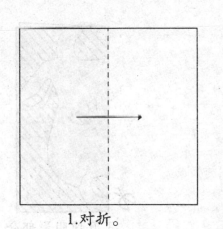

1.对折。

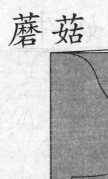

2.画。

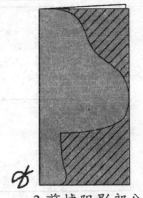

3.剪掉阴影部分。

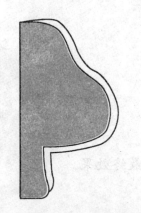

4.剪完效果。

5.展开最终效果。

奶牛

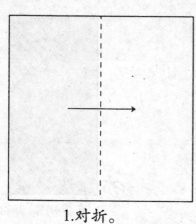

1.对折。

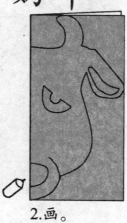

2.画。

3.剪掉阴影部分。

4.剪完效果。

5.展开最终效果。

男人

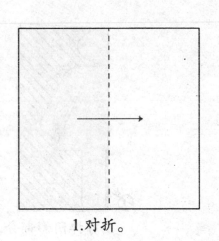

1.对折。

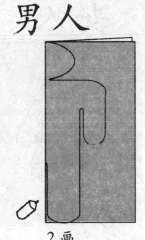

2.画。

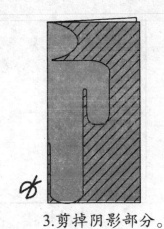

3.剪掉阴影部分。

4.剪完效果。

5.展开最终效果。

女人

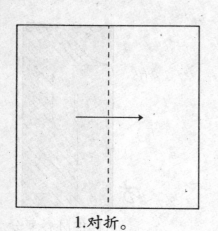

1.对折。

2.画。

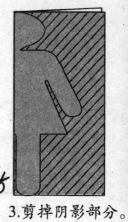

3.剪掉阴影部分。

4.剪完效果。

5.展开最终效果。

南瓜

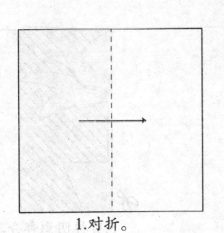

1.对折。

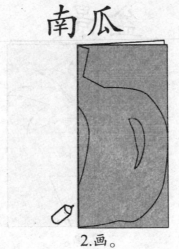

2.画。

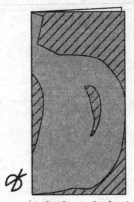

3.剪掉阴影部分。

4.剪完效果。

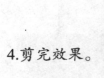

5.展开最终效果。

盆景

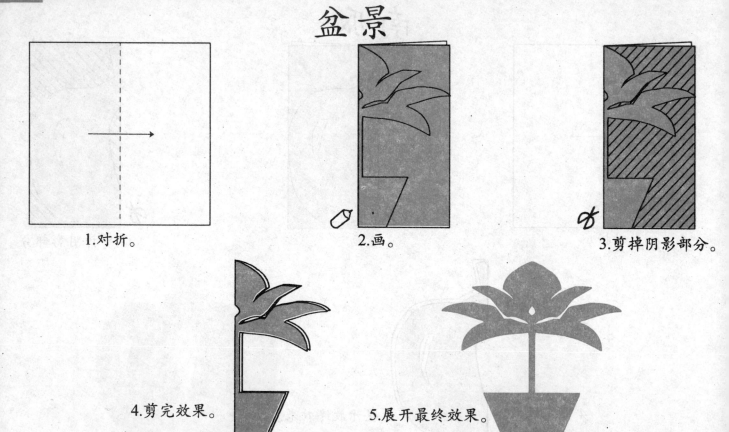

1.对折。

2.画。

3.剪掉阴影部分。

4.剪完效果。

5.展开最终效果。

苹果

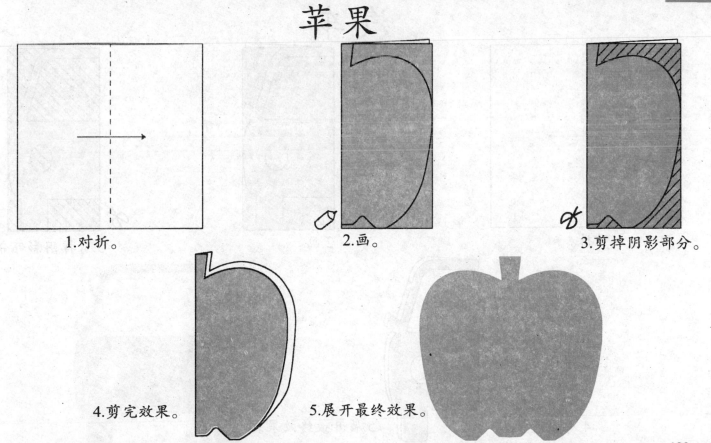

1.对折。

2.画。

3.剪掉阴影部分。

4.剪完效果。

5.展开最终效果。

汽车

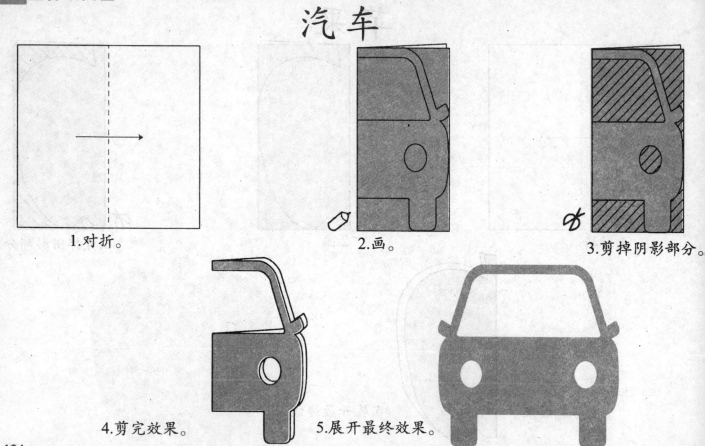

1.对折。

2.画。

3.剪掉阴影部分。

4.剪完效果。

5.展开最终效果。

风筝

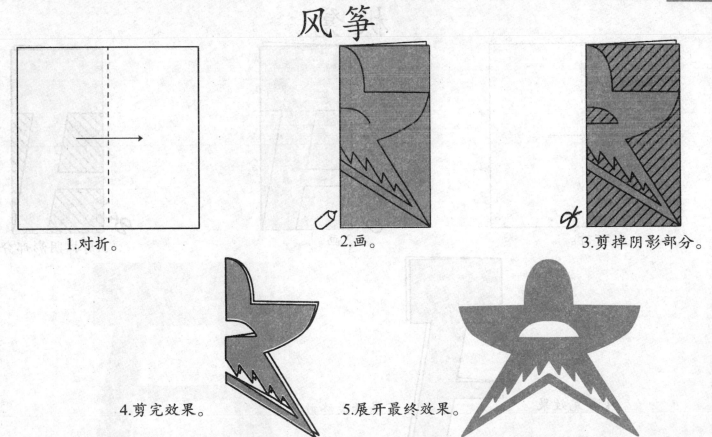

1.对折。

2.画。

3.剪掉阴影部分。

4.剪完效果。

5.展开最终效果。

板凳

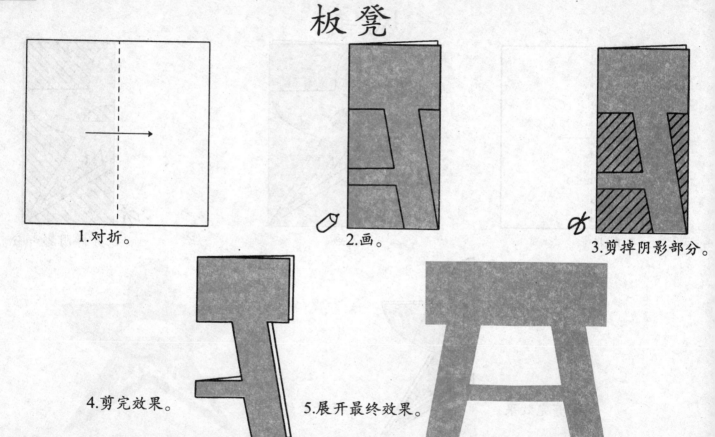

1.对折。

2.画。

3.剪掉阴影部分。

4.剪完效果。

5.展开最终效果。

小房子（1）

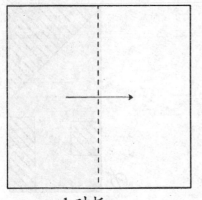

1.对折。

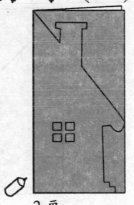

2.画。

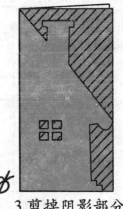

3.剪掉阴影部分。

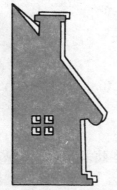

4.剪完效果。

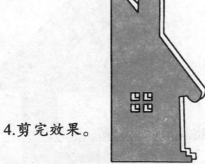

5.展开最终效果。

小房子(2)

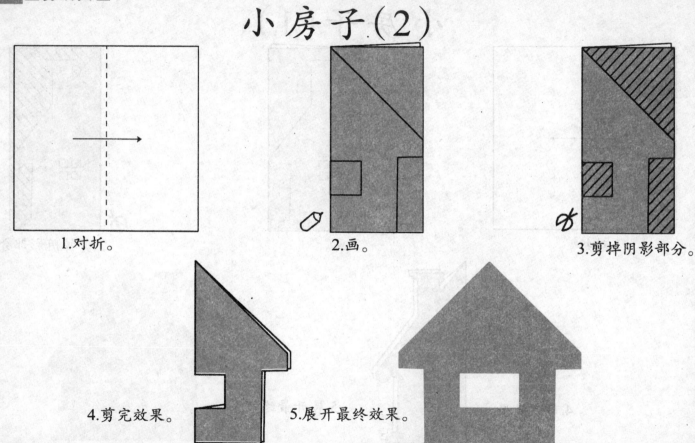

1.对折。

2.画。

3.剪掉阴影部分。

4.剪完效果。

5.展开最终效果。

鸟巢

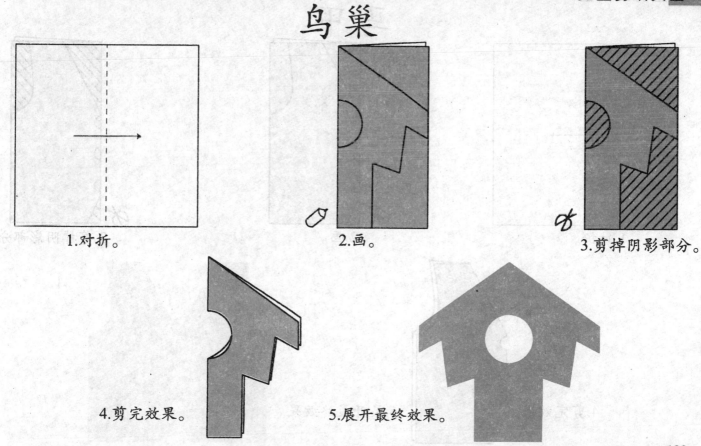

1.对折。

2.画。

3.剪掉阴影部分。

4.剪完效果。

5.展开最终效果。

马甲

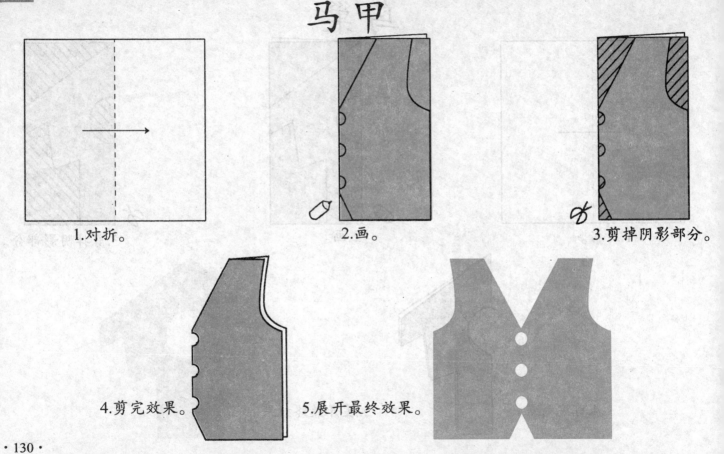

1.对折。

2.画。

3.剪掉阴影部分。

4.剪完效果。

5.展开最终效果。

铃铛

1.对折。

2.画。

3.剪掉阴影部分。

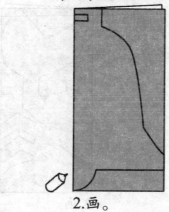

4.剪完效果。

5.展开最终效果。

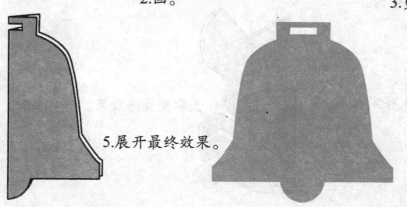

螃 蟹

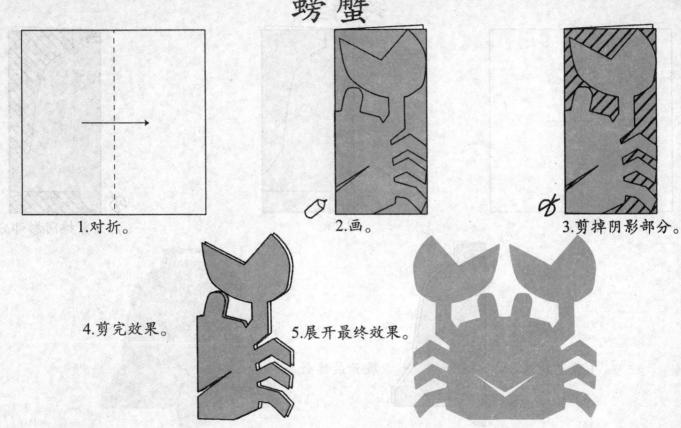

1.对折。

2.画。

3.剪掉阴影部分。

4.剪完效果。

5.展开最终效果。

钳子(1)

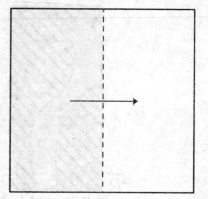

1.对折。

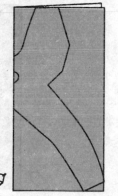

2.画。

3.剪掉阴影部分。

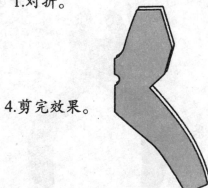

4.剪完效果。

5.展开最终效果。

钳子（2）

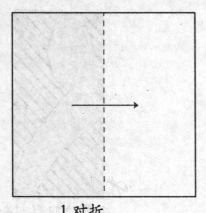

1.对折。

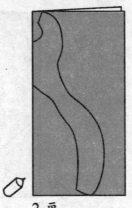

2.画。

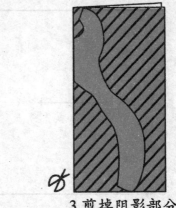

3.剪掉阴影部分。

4.剪完效果。

5.展开最终效果。

钳子（3）

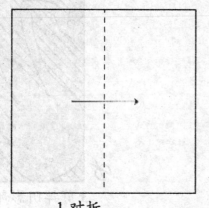

1.对折。

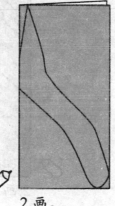

2.画。

3.剪掉阴影部分。

4.剪完效果。

5.展开最终效果。

天 鹅

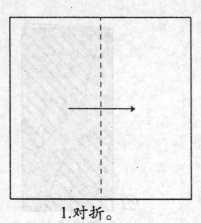

1.对折。

2.画。

3.剪掉阴影部分。

4.剪完效果。

5.展开最终效果。

蜡烛

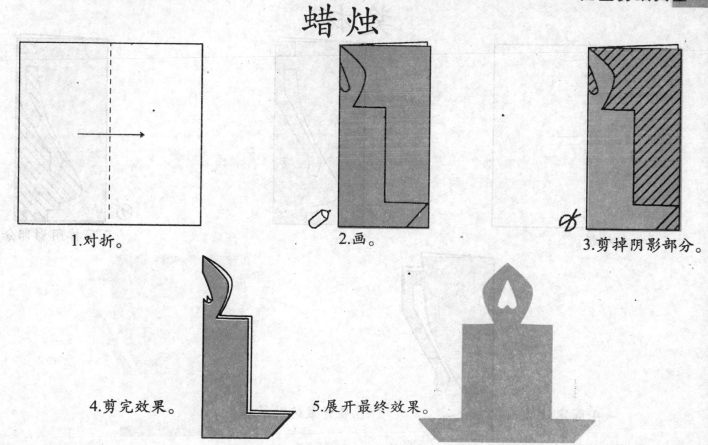

1.对折。

2.画。

3.剪掉阴影部分。

4.剪完效果。

5.展开最终效果。

奖杯

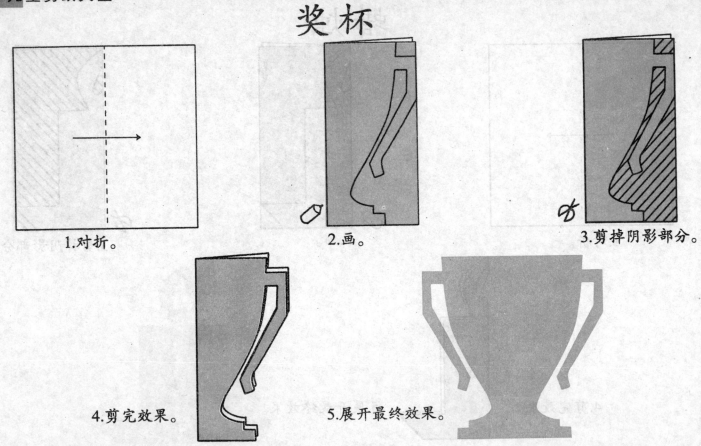

1.对折。

2.画。

3.剪掉阴影部分。

4.剪完效果。

5.展开最终效果。

花盆

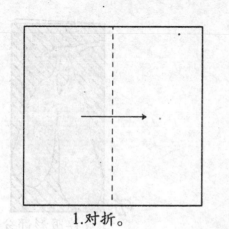

1.对折。

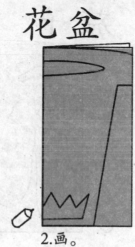

2.画。

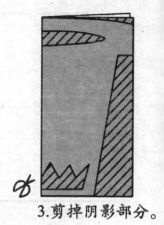

3.剪掉阴影部分。

4.剪完效果。

5.展开最终效果。

茄子

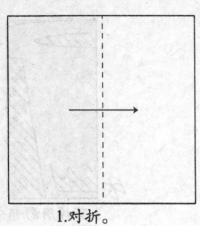

1.对折。

2.画。

3.剪掉阴影部分。

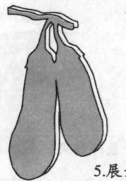

4.剪完效果。

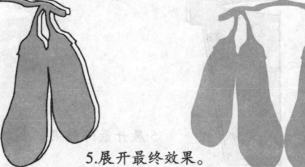

5.展开最终效果。

青辣椒

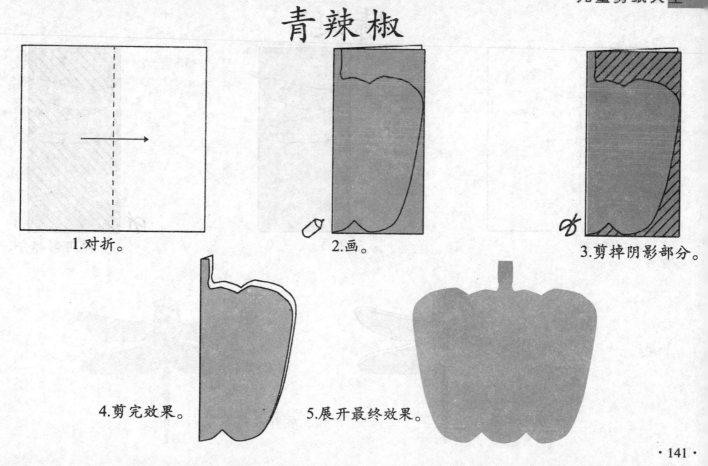

1.对折。

2.画。

3.剪掉阴影部分。

4.剪完效果。

5.展开最终效果。

蜻 蜓

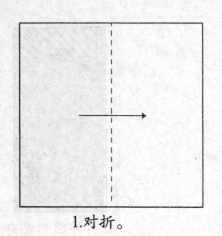

1.对折。

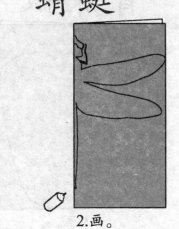

2.画。

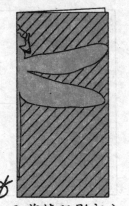

3.剪掉阴影部分。

4.剪完效果。

5.展开最终效果。

裙子

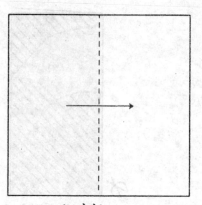

1.对折。

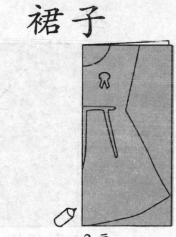

2.画。

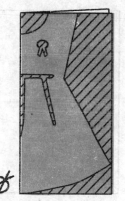

3.剪掉阴影部分。

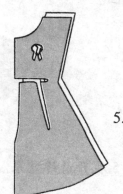

4.剪完效果。

5.展开最终效果。

伞

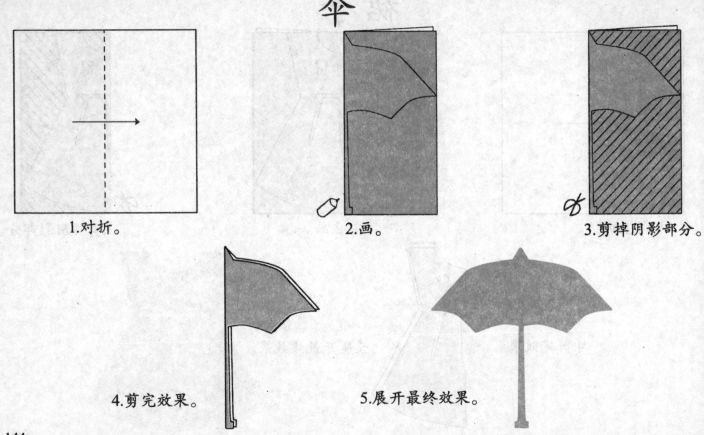

1.对折。

2.画。

3.剪掉阴影部分。

4.剪完效果。

5.展开最终效果。

沙漏

1.对折。

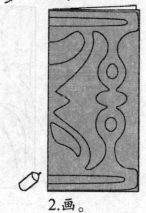

2.画。

3.剪掉阴影部分。

4.剪完效果。

5.展开最终效果。

榕 树

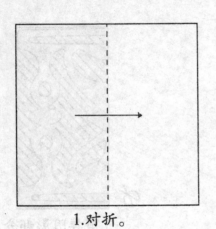

1.对折。

2.画。

3.剪掉阴影部分。

4.剪完效果。

5.展开最终效果。

松树

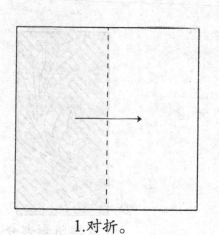

1.对折。

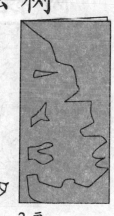

2.画。

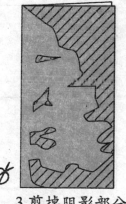

3.剪掉阴影部分。

4.剪完效果。

5.展开最终效果。

树枝

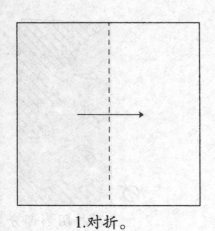

1.对折。

2.画。

3.剪掉阴影部分。

4.剪完效果。

5.展开最终效果。

水牛

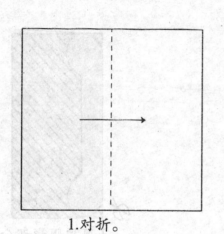

1.对折。

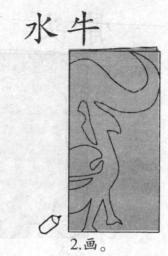

2.画。

3.剪掉阴影部分。

4.剪完效果。

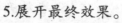

5.展开最终效果。

骨头

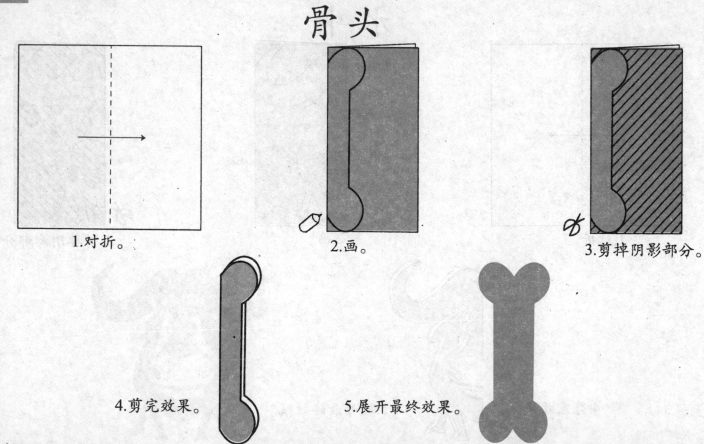

1.对折。

2.画。

3.剪掉阴影部分。

4.剪完效果。

5.展开最终效果。

水桶

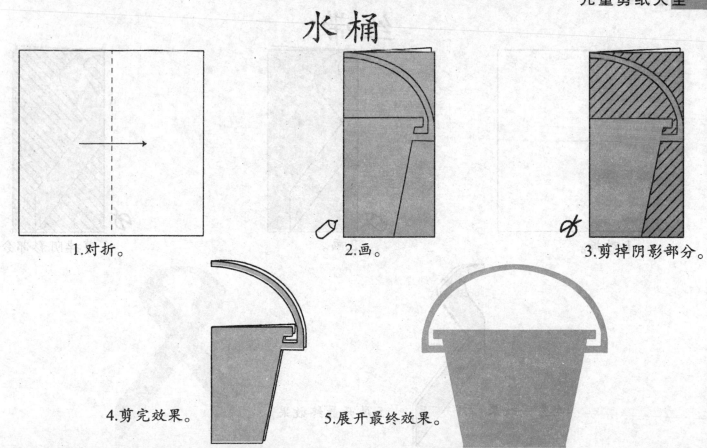

1.对折。

2.画。

3.剪掉阴影部分。

4.剪完效果。

5.展开最终效果。

丝带

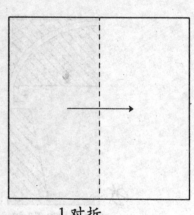

1.对折。

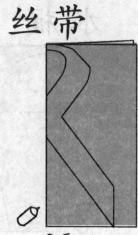

2.画。

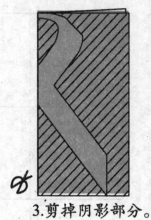

3.剪掉阴影部分。

4.剪完效果。

5.展开最终效果。

王 冠

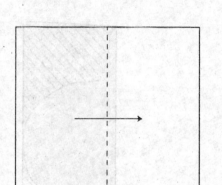

1.对折。

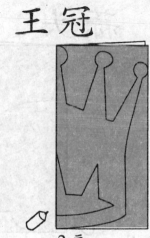

2.画。

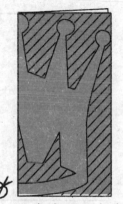

3.剪掉阴影部分。

4.剪完效果。

5.展开最终效果。

蒜头

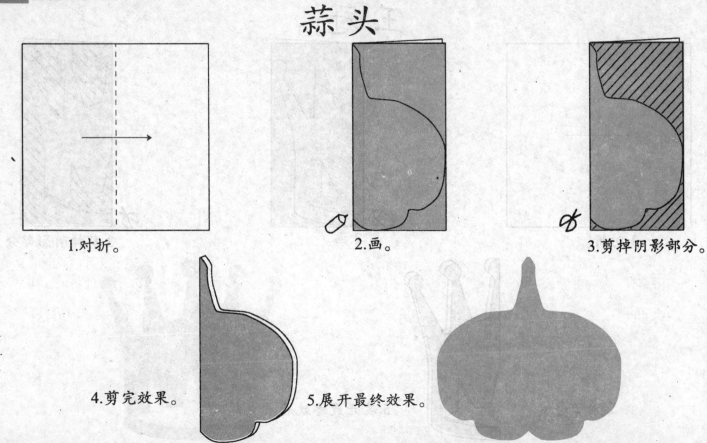

1.对折。

2.画。

3.剪掉阴影部分。

4.剪完效果。

5.展开最终效果。

西瓜

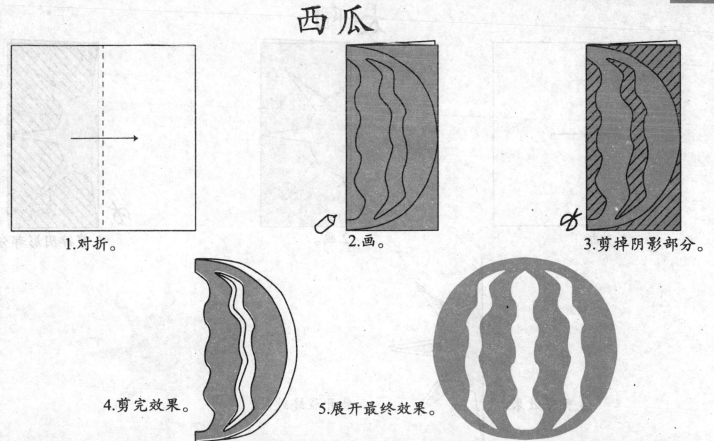

1.对折。

2.画。

3.剪掉阴影部分。

4.剪完效果。

5.展开最终效果。

太 阳

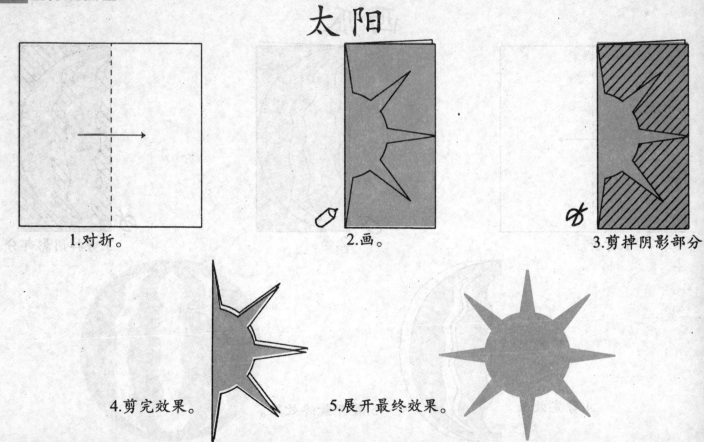

1.对折。

2.画。

3.剪掉阴影部分

4.剪完效果。

5.展开最终效果。

太阳花

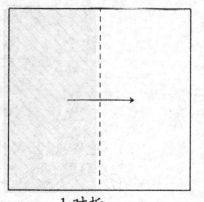

1.对折。

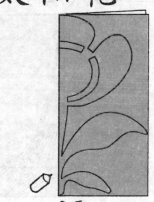

2.画。

3.剪掉阴影部分。

4.剪完效果。

5.展开最终效果。

塔（1）

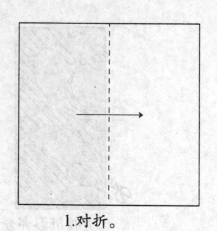

1.对折。

2.画。

3.剪掉阴影部分。

4.剪完效果。

5.展开最终效果。

塔（2）

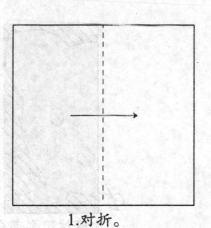

1.对折。

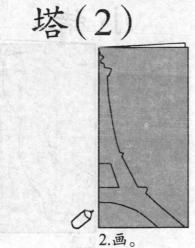

2.画。

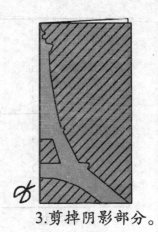

3.剪掉阴影部分。

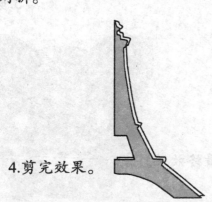

4.剪完效果。

5.展开最终效果。

小 猪

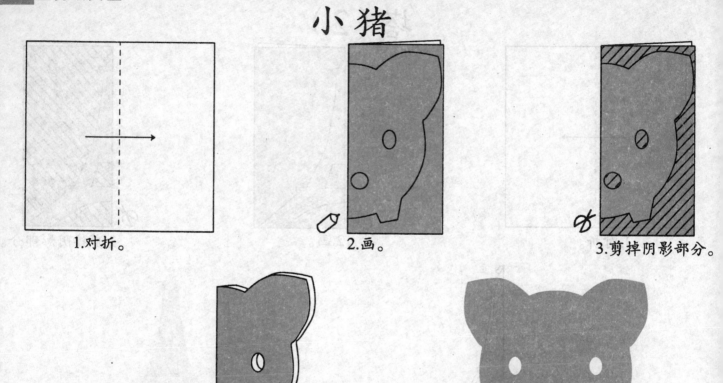

1.对折。

2.画。

3.剪掉阴影部分。

4.剪完效果。

5.展开最终效果。

小熊

1.对折。

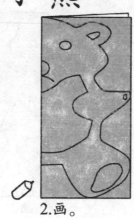

2.画。

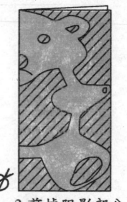

3.剪掉阴影部分。

4.剪完效果。

5.展开最终效果。

小男孩

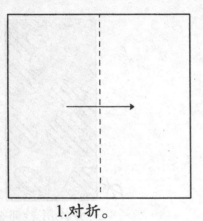

1.对折。

2.画。

3.剪掉阴影部分。

4.剪完效果。

5.展开最终效果。

小女孩

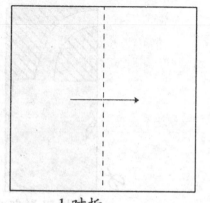

1.对折。

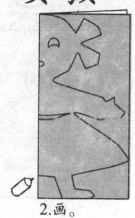

2.画。

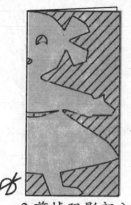

3.剪掉阴影部分。

4.剪完效果。

5.展开最终效果。

提包

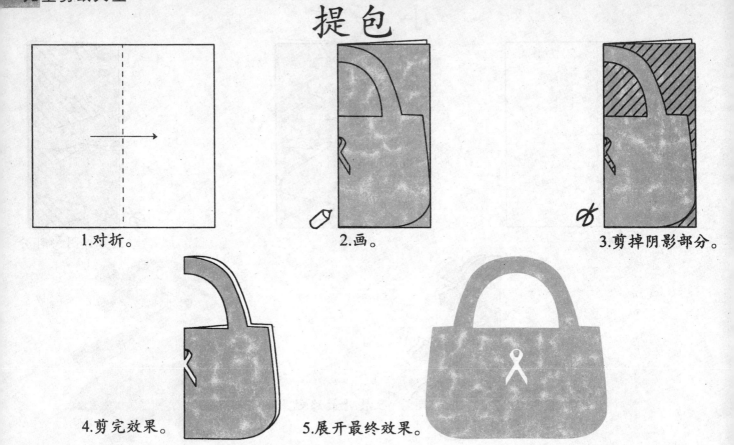

1.对折。

2.画。

3.剪掉阴影部分。

4.剪完效果。

5.展开最终效果。

小白兔

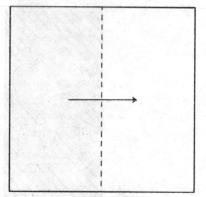

1.对折。

2.画。

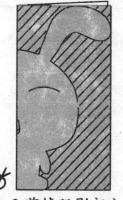

3.剪掉阴影部分。

4.剪完效果。

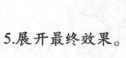

5.展开最终效果。

小老鼠

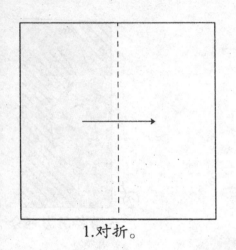

1.对折。

2.画。

3.剪掉阴影部分。

4.剪完效果。

5.展开最终效果。

雪花

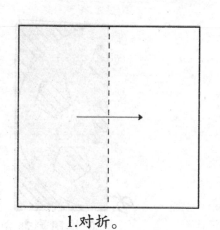

1.对折。

2.画。

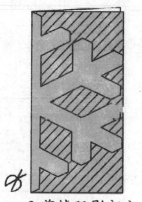

3.剪掉阴影部分。

4.剪完效果。

5.展开最终效果。

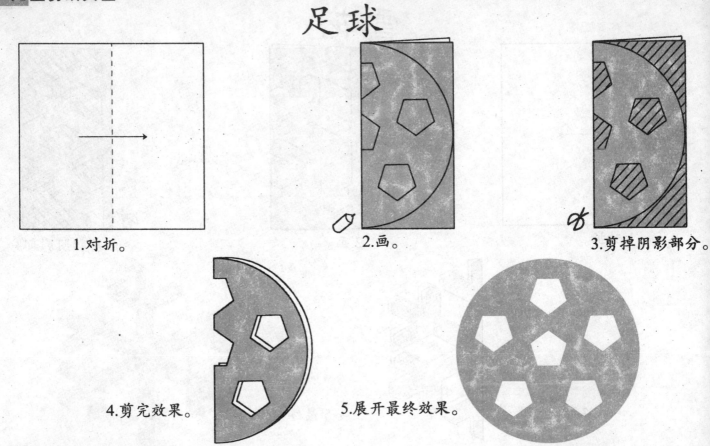

足球

1.对折。

2.画。

3.剪掉阴影部分。

4.剪完效果。

5.展开最终效果。

中国结

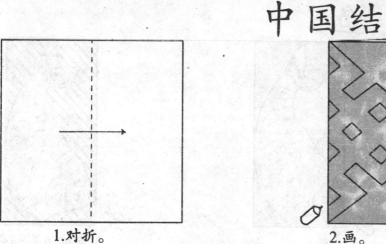

1.对折。

2.画。

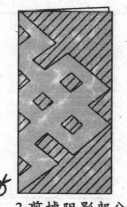

3.剪掉阴影部分。

4.剪完效果。

5.展开最终效果。

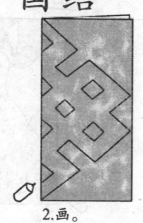

鱼

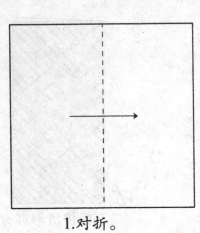

1.对折。

2.画。

3.剪掉阴影部分。

4.剪完效果。

5.展开最终效果。

樱 桃

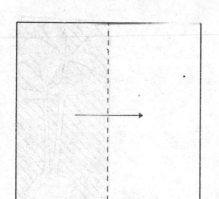

1.对折。

2.画。

3.剪掉阴影部分。

4.剪完效果。

5.展开最终效果。

椰子树

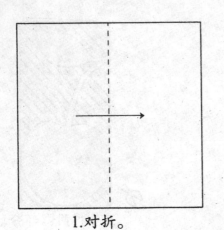

1.对折。

2.画。

3.剪掉阴影部分。

4.剪完效果。

5.展开最终效果。

树叶纹样

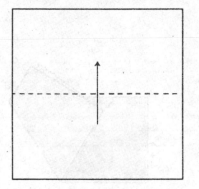

1.对折。

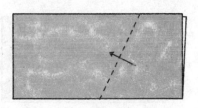

2.沿虚线折叠。

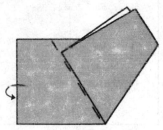

3.沿虚线向后折叠。

4.画。

5.剪掉阴影部分。

6.展开最终效果。

水仙花

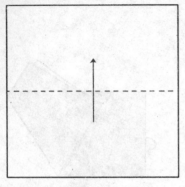

1.对折。

2.沿虚线折叠。

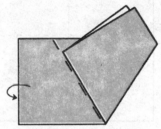

3.沿虚线向后折叠。

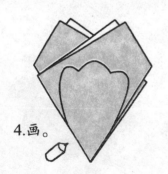

4.画。

5.剪掉阴影部分。

6.展开最终效果。

花朵纹样

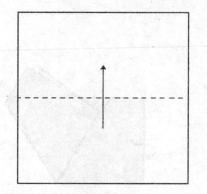

1.对折。

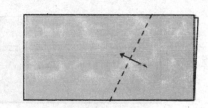

2.沿虚线折叠。

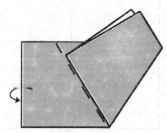

3.沿虚线向后折叠。

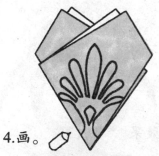

4.画。

5.剪掉阴影部分。

6.展开最终效果。

图标

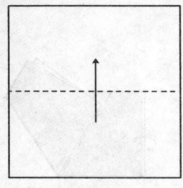

1.对折。

2.沿虚线折叠。

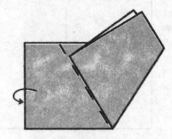

3.沿虚线向后折叠。

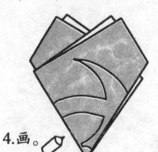

4.画。

5.剪掉阴影部分。

6.展开最终效果。

蝴蝶花样

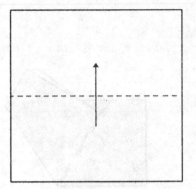

1.对折。

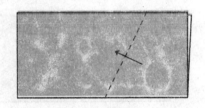

2.沿虚线折叠。

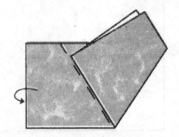

3.沿虚线向后折叠。

4.画。

5.剪掉阴影部分。

6.展开最终效果。

水仙花样

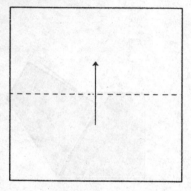

1.对折。

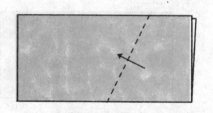

2.沿虚线折叠。

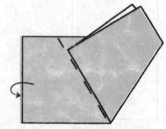

3.沿虚线向后折叠。

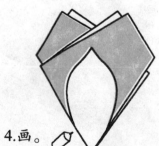

4.画。

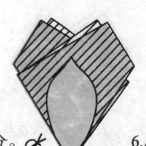

5.剪掉阴影部分。

6.展开最终效果。

车轮纹样

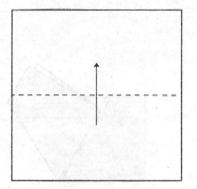

1.对折。

2.沿虚线折叠。

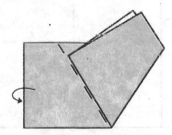

3.沿虚线向后折叠。

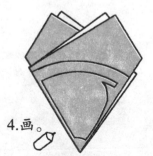

4.画。

5.剪掉阴影部分。

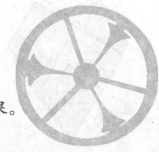

6.展开最终效果。

星星纹样

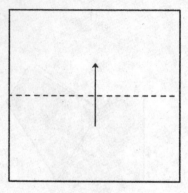

1.对折。

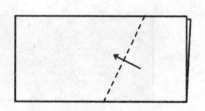

2.沿虚线折叠。

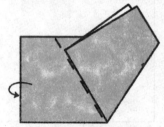

3.沿虚线向后折叠。

4.画。

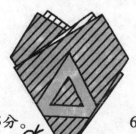

5.剪掉阴影部分。

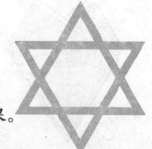

6.展开最终效果。

蜘蛛网纹样

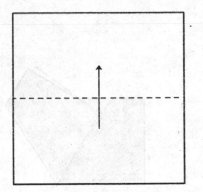

1.对折。

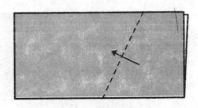

2.沿虚线折叠。

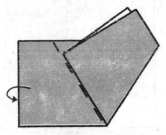

3.沿虚线向后折叠。

4.画。

5.剪掉阴影部分。

6.展开最终效果。

六瓣花样(1)

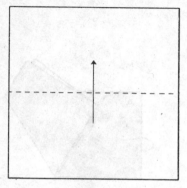

1.对折。

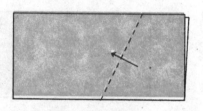

2.沿虚线折叠。

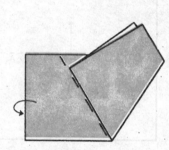

3.沿虚线向后折叠。

4.画。

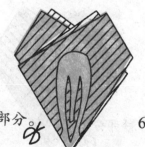

5.剪掉阴影部分。

6.展开最终效果。

六瓣花样(2)

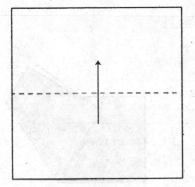

1.对折。

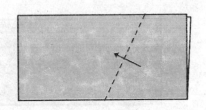

2.沿虚线折叠。

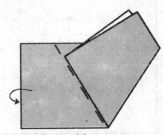

3.沿虚线向后折叠。

4.画。

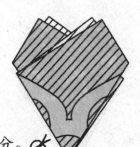

5.剪掉阴影部分。

6.展开最终效果。

六瓣花样（3）

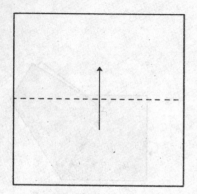

1.对折。

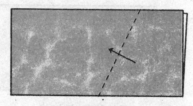

2.沿虚线折叠。

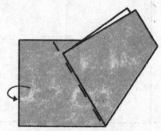

3.沿虚线向后折叠。

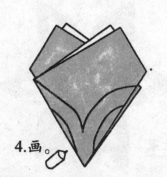

4.画。

5.剪掉阴影部分。

6.展开最终效果。

报春花样

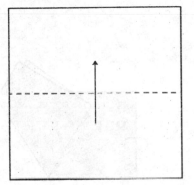

1.对折。

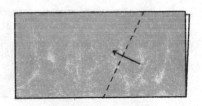

2.沿虚线折叠。

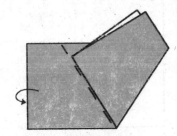

3.沿虚线向后折叠。

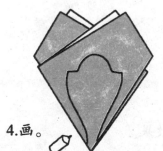

4.画。

5.剪掉阴影部分。

6.展开最终效果。

水草

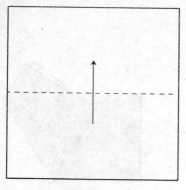

1.对折。

2.沿虚线折叠。

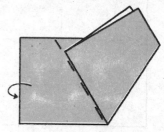

3.沿虚线向后折叠。

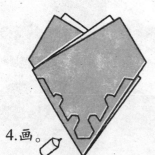

4.画。

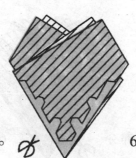

5.剪掉阴影部分。

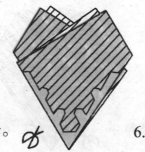

6.展开最终效果。

排风扇

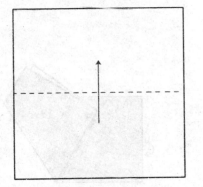

1.对折。

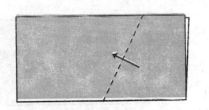

2.沿虚线折叠。

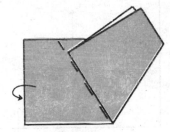

3.沿虚线向后折叠。

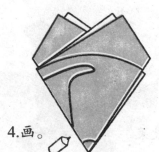

4.画。

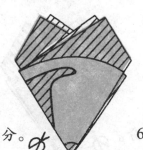

5.剪掉阴影部分。

6.展开最终效果。

船舵

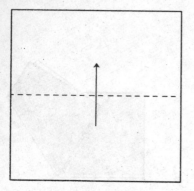

1.对折。

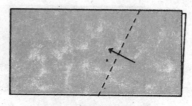

2.沿虚线折叠。

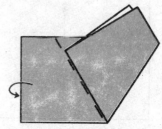

3.沿虚线向后折叠。

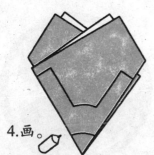

4.画。

5.剪掉阴影部分。

6.展开最终效果。

套环花样

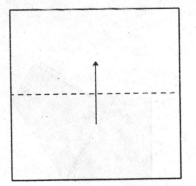

1.对折。

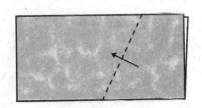

2.沿虚线折叠。

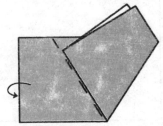

3.沿虚线向后折叠。

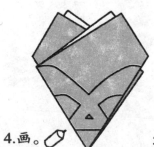

4.画。

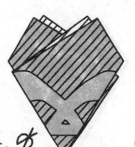

5.剪掉阴影部分。

6.展开最终效果。

喇叭花样

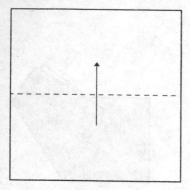

1.对折。

2.沿虚线折叠。

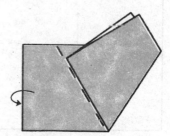

3.沿虚线向后折叠。

4.画。

5.剪掉阴影部分。

6.展开最终效果。

雪花纹样

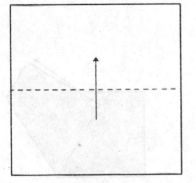

1.对折。

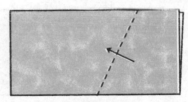

2.沿虚线折叠。

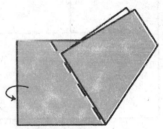

3.沿虚线向后折叠。

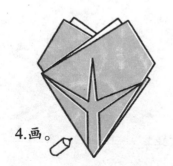

4.画。

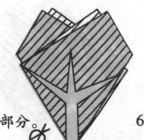

5.剪掉阴影部分。

6.展开最终效果。

星形花样

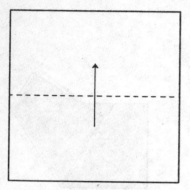

1.对折。

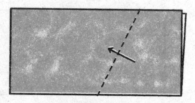

2.沿虚线折叠。

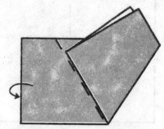

3.沿虚线向后折叠。

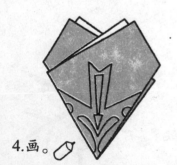

4.画。

5.剪掉阴影部分。

6.展开最终效果。